CARTAS ENTRE AMIGOS

Fábio de Melo
Gabriel Chalita

Cartas entre amigos

Sobre medos contemporâneos

Ediouro

Diretor executivo: Edaury Cruz
Editora: Cristina Fernandes
Assistente editorial: Marcus Assunção
Coordenadora de produção: Adriane Gozzo
Assistente de produção: Juliana Campoi
Edição de texto: Eliana Rocha
Revisão: Marcia Menin
Editora de arte: Ana Dobón
Projeto gráfico: Laboratório Secreto
Editoração eletrônica e capa: Ana Dobón
Fotos de capa/orelha: Chico Audi

Dados Internacionais de Catalogação na Publicação (CIP)
(Câmara Brasileira do Livro, SP, Brasil)

Melo, Fábio de
Cartas entre amigos / Fábio de Melo e Gabriel Chalita. – São Paulo : Ediouro, 2009.

ISBN 978-85-00-33059-9

1. Cartas brasileiras I. Chalita, Gabriel. II. Título

09-02699 CDD-869.96

Índice para catálogo sistemático:
1. Cartas : Literatura brasileira 869.96

O texto deste livro segue o Novo Acordo Ortográfico da Língua Portuguesa, em vigor desde 1º/1/2009.

Ediouro Publicações Ltda.
R. Nova Jerusalém, 345 - Bonsucesso
Rio de Janeiro - RJ - CEP: 21042-235
Tel.: (21) 3882-8200 - Fax: (21) 3882-8212/8313
www.ediouro.com.br

OFERECIMENTOS

À Comunidade Canção Nova,

por espalhar amor...

À Adélia Prado, Cecília Meireles,

Clarice Lispector, Cora Coralina,

Lygia Fagundes Telles, Nélida Piñon,

Rachel de Queiroz...

artesãs da palavra.

AGRADECIMENTOS

Beth Lagardère,
pelo entusiasmo.

Carmen Valle, por sugestões
tão certeiras.

Lula Vieira, pela paixão em comunicar.

Cristina Cordeiro, Glaucya Tavares,
José Renato Nalini, Marcelo Modenesi,
Márcia Alvim, Maria Cecília Chimenti,
Roberta Pinto Grabert... amigos que
leram os nossos rascunhos.

primeira carta

"Não há amor sem conquista. Os amantes precisam ao menos se deixar conquistar. As artimanhas da sedução têm um encanto próprio de quem tenta tocar no ponto frágil e depois fortalecer juntos."

querido irmão padre Fábio

Tenho saudade dos meus dois irmãos que estão com Deus. Meu irmão Sávio morreu aos 21 anos de idade. Jovem, belo, apaixonado pela vida. Um acidente de carro roubou-lhe a possibilidade de prosseguir em sua travessia.

Vi meu irmão morrendo. Estava ao seu lado. Ele dirigia e contava histórias de um amanhã que não chegou. Cantamos sozinhos naquela noite prolongada. Nós dois. Eu tinha apenas 15 anos e, por um milagre, prossegui. Vi seu soluço inconsciente, seu suspiro final. Tentei abraçá-lo, enquanto vozes se aproximavam. Meus braços não se moviam. A dor física era pequena perto da possibilidade da separação. Olhei-o com ternura. Separamo-nos. Meu irmão partia sem ter o direito de se despedir. Sem dizer o que gostaria que fizéssemos por ele. Apenas partiu. Minha mãe vestiu-se de preto por algum tempo. As sombras tomavam seu semblante, e gritos de dor eram entremeados por dias de silêncio. Meu pai era só silêncio. Em suas orações, lágrimas solitárias pediam a Deus que acolhesse o fruto do seu amor. A morte nunca tinha estado tão perto de mim. Acho que não pensava muito nela. Nos dias em que fiquei engessado, tentando recompor partes quebradas do meu corpo, quebrei-me em perguntas sem respostas. Por que o caminhoneiro dormira? Por que ele partira e eu ficara? Por que apenas o meu banco quebrara, jogando-me um pouco para trás, e o dele não, se ele era maior do que eu?

Antes do acidente com o Sávio, convivi com a morte quando meu avô Gabriel partiu. Pouco tempo antes. Sofri também, mas compreendi que o seu sofrimento físico tinha chegado ao fim. Assustei-me quando o vi num caixão. Lembrei-me dos dias em que eu ficava, criança, dando aulas com um quadro-negro para ele e minha avó. Chorei a certeza de não mais ouvir suas anedotas singelas e suas histórias de uma Síria do passado. Fazia poesia com simplicidade meu avô Gabriel.

Mas a morte do Sávio... Eu sou o filho caçula. Dormíamos no mesmo quarto, e ele fazia-se de forte investigando todos os lugares possíveis de haver algum perigo que pudesse nos atingir. Sorria quando, depois de certo suspense, comunicava que nem debaixo da cama nem atrás das cortinas havia monstros ou figuras semelhantes. Podíamos dormir em paz. Era carinhoso. Irreverente. E gostava de viver.

Meu irmão Júnior também partiu. Sua alegria pura, sua ingenuidade de uma infância sem fim, presentes da síndrome de Down, fazem falta. Meu pai dizia da surpresa difícil quando soube que meu irmão era diferente das outras crianças. Minha mãe também estranhou a sua chegada. Mas isso foi por pouco tempo. Júnior tornou-se o centro das atenções. Cantarolava sozinho e sorria sem economias. Beijava, abraçava e vez ou outra chorava. Tentávamos entender onde era a dor. Não era fácil, sua melhor comunicação vinha da sua alegria apenas. Na cadeira de balanço meu pai brincava com ele. Minha mãe dava-lhe na boca o alimento que nutria seu corpo e sua alma. Sua partida deixou um vazio imenso. Trinta e poucos anos e nada mais. Brincou de dia. Brincou no hospital e se foi... brincando.

Irmãos que partiram prematuramente. Irmãos que continuam presentes na capacidade que tenho de pensar neles.

Quando nos conhecemos, padre Fábio, eu não imaginava que nossas almas tivessem raízes comuns. Fomos plantados em solos fertilizados com sofrimentos e esperança. Sua poesia misturada a alguma tristeza tornam os seus dizeres mais profundos. Seu jeito de falar, sua forma de estar presente, sua capacidade de ouvir a dor, tudo isso foi fazendo com que nossa travessia ganhasse sentidos novos. Você é meu irmão, sim, padre. Não em substituição àqueles que partiram, mas em presença de Amor. Com você, sinto-me livre para errar com as minhas verdades provisórias. Com você não tenho pressa. Gosto de ouvir suas canções e suas histórias. Admiro seu jeito de falar de Deus, sua estética religiosa, seu talento humano. Faz algum tempo que partilhamos projetos e dúvidas, e tem sido tão bom. A felicidade só deixa de ser utopia quando nos completamos com a inteligência e o afeto do outro.

Não entendo a tristeza como ausência de felicidade. Acho que elas coexistem. Somos felizes e tristes. Felizes porque tentamos entender a nossa missão. Tristes porque assim tem de ser. A tristeza nos empresta respeito ao outro e percepção mais aguçada da dor. Talvez tristeza seja ausência de alegria, de riso fácil, não de felicidade.

Hoje é véspera de um outro dia qualquer e eu estou triste. Acordei com saudade do meu pai. Tantas coisas aconteceram em minha vida depois que ele se foi. Meu pai. Quando eu escrevi a sua história como um presente em seu aniversário de 80 anos, não tive dúvidas quanto ao título: *Memórias de um Homem Bom*. Sua simplicidade falava-me de um Deus que mora na ternura e que acolhe. Sua sabedoria falava-me de um Deus que não julga, mas compreende; que não afasta, mas ama. Seu olhar permitia-me viajar por aventuras ora corretas, ora necessárias para a minha curiosidade. Caí algumas vezes. Mas eu sabia que ele estava ali para qualquer arranhão mais doloroso. Ele não está mais aqui comigo. Está em mim, porque trago muito do que ele deixou. Mas não me abraça. Não sorri para mim. Não me diz coisas que cicatrizem as minhas feridas. Tenho saudade do meu pai, padre. Do seu colo, das suas cantigas amadoras, das histórias recontadas de uma vida marcada pela dor. Meu pai sofreu muito. E sem lamúrias. Minha fortaleza partiu para junto de Deus. Eu entendo que estamos aqui de passagem. Tenho fé de que há um outro porvir, um lindo céu, que nos aguarda, mas isso não retira de mim a saudade que dói.

Meu pai falava de mim com orgulho, do seu filho escritor. E eu brincava com ele que não havia idade para ingressar no mundo das letras transformadas em história ou em dizeres poéticos.

Cora Coralina estreou na literatura aos 76 anos de idade e fez da vida e da morte uma poesia:

Não morre aquele
que deixou na terra
a melodia de seu cântico
na música de seus versos.

Cora viveu de felicidade e de tristeza. Teve uma infância que não deixou saudades. Ela escreveu isso muitas vezes.

Quando nasci, meu velho pai agonizava,
logo após morria.
Cresci sem pai,
Secundária na turma das irmãs.

Eu era triste, nervosa e feia.
Amarela, de rosto empalamado.
De pernas moles, caindo à toa.
Os que assim me viam – diziam:
"Essa menina é o retrato vivo
do velho pai doente".

Falava dos apelidos debochados, do sonho frustrado da mãe de ter um filho homem, dos trambolhões da escada, galo na testa, pernas moles. Falava de uma dor doída de uma infância que não viu sorriso. A dor poderia tê-la paralisado. Mas o cenário dos sentimentos viu outra apresentação. Cora Coralina rezou a saga da mulher vitoriosa:

Ajuntei todas as pedras
que vieram sobre mim.

Levantei uma escada muito alta
e no alto subi.
Teci um tapete floreado
e no sonho me perdi.

Uma estrada,
um leito,
uma casa,
um companheiro.
Tudo de pedra.

Entre pedras
cresceu a minha poesia.
Minha vida...
Quebrando pedras
e plantando flores.

Entre pedras que me esmagavam
levantei a pedra rude
dos meus versos.

Cora Coralina não buscou o lado mais fácil da vida, mas conseguiu compreender que mesmo sem facilidade alguma era possível encontrar a tal poesia no cotidiano da dor. Não há poesia sem dor. A vida nasce da dor. O amor mais amado surge depois de uma dor prolongada. Amor de mãe!

Não há amor sem conquista. Os amantes precisam ao menos se deixar conquistar. As artimanhas da sedução têm um encanto próprio de quem tenta tocar no ponto frágil e depois fortalecer juntos. Amores doídos, os não correspondidos. Histórias de ausências, de lágrimas, de quem deu e não recebeu. Não deveria ser gratuito o sentimento daquele que ama? Não é gratuita a chuva que cai abundantemente? A vida, toda ela é uma graça. Bem, mas os homens não são deuses. E poucos são aqueles que conseguem dar sem exigir, sem projetar. *Quebrando pedras e plantando flores.* Quando penso nos sofrimentos de meu pai e na sua leveza, fico me perguntando se uma coisa tem relação com a outra. Será que as pessoas que mais sofrem são as que mais amadurecem? Será que a dor é que tem o poder de dar majestade ao amor?

Na minha infância, padre Fábio, eu experimentei a carência que todo menino de certa forma experimenta. Meu pai ficou doente algumas vezes, e eu esperava sua volta prolongada por sessões de quimioterapia. Sofria calado. A ausência poderia chegar a qualquer momento. Eu rezava do meu jeito. E meu pai ficou curado. O tempo passou e, sem doença alguma, ele se foi. No dia em que meu pai morreu nós tínhamos ido juntos a um casamento. Ele sorria com certa tristeza e, com delicadeza, se preocupava em não atrapalhar a festa com o incômodo da sua dor. Era apaixonado por minha mãe e sabia o quanto ela gostava de festa. Sacrifícios por amor têm menos dor. Fomos juntos para casa, depois juntos para o hospital. Depois separados. Beijei-o com ternura e fiquei imaginando o que ainda ficara por ser dito nesses anos em que falamos muito ou quase nada.

Pergunto muitas vezes a Deus por que tanto sofrimento se um dia estaremos juntos, plenos de amor?

Chorei a ausência das reações humanas daquele corpo sem vida. Chorei a orfandade incômoda, o adeus forçado, a separação. Choro hoje a impossibilidade dos afetos. É abstrata sua presença. É memória e esperança. Apenas isso. Meu pai amado não passa mais os natais comigo, nem os meus aniversários.

Em uma triste carta, uma mulher contou-me sua história de dor. Ela perdeu um filho com alguns meses de vida, engasgado com mingau. Perdeu um sobrinho queimado e um neto afogado.

Na carta, ela queria que eu explicasse por que essa sina de tantas crianças mortas em sua família. Queria uma resposta. Queria saber se Deus, por algum motivo, tinha decidido castigá-la. Li algumas vezes aquele bilhete ensanguentado de perdas. Tentei formular alguns dizeres. Falar apenas que é preciso ter fé parecia não diminuir a angústia de uma vida de ausências arbitrárias. Ela naturalmente não tinha escolhido. Não houve decisão voluntária de se afastar das sementes que não chegaram a germinar. Por que com ela? E tantas vezes seguidas? Fiquei imaginando as reações. O desespero. O choro diante da criança. A culpa. Como reconstruir? *Quebrando pedras e plantando flores?* Como convencê-la disso?

Hannah Arendt é uma das maiores filósofas da história do pensamento.

Nasceu em Hannover em 1906. Teve uma infância acalentada de todo o carinho e estímulo cultural necessários para uma vida de sucessos. Os pais eram judeus, apaixonados pela liberdade que o respeito ao outro proporcionava. Leu em livros e aprendeu com exemplos o sentido de uma vida correta. Brincou de ser independente, de dizer o que pensava.

Diferentemente de Cora Coralina, a infância de Hannah prenunciava uma vida sem grandes traumas. Embora tivesse perdido o pai muito cedo, a mãe a educou seguindo os melhores preceitos do amor e dos limites corretos para que a responsabilidade pelo outro, a autodisciplina e a harmonia interna e externa não fossem abandonadas.

Sua vida, entretanto, começa a mudar com a Primeira Guerra Mundial, de 1914. De uma infância segura e feliz a uma adolescência frágil. A mãe casou-se com outro homem e Hannah tornou-se triste e rebelde. O tempo foi passando até que, em 1924, o filósofo Martin Heidegger aceitou orientar sua tese sobre o conceito de amor em Santo Agostinho. Hannah apaixonou-se perdidamente por Heidegger. Ela tinha 18 anos. Ele tinha 35 anos, era casado e pai de dois filhos. Foram amantes por algum tempo quando ela, depois de tanto sofrer de paixão, resolveu pôr fim à história e se casar com outro homem. Sem conseguir separar o amor dos embates filosóficos, Hannah passou a ser orientada por um outro pensador, amigo de Heidegger, Karl Jasper. Esse professor tornou-se o exemplo de integridade moral e intelectual para a jovem Hannah. Depois da defesa do doutoramento a alegria de ingressar na atividade docente foi subtraída pela ascensão dos nazistas ao poder. Sua grande frustração foi ver Heidegger, o homem que ela amou e admirou, apoiando os nazistas. Hannah foi presa e depois conseguiu fugir ilegalmente para Paris, quando conheceu Walter Benjamin e outros judeus alemães refugiados do novo regime. Sua felicidade na cidade das luzes durou pouco. Os alemães invadiram Paris e com Walter Benjamin e mais alguns amigos partiram para a fronteira com a Espanha. A fronteira estava fechada e, não resistindo ao medo de ser pego pelos nazistas, Walter Benjamin suicidou-se. Hannah assistia à partida de todos aqueles que admirava. A solidão e a dor não a destruíram. Da Espanha, Hannah partiu para Lisboa e em 1941 chegou aos Estados Unidos.

Hannah Arendt não falava inglês, o que dificultou seu ingresso intelectual na nova pátria. Sentiu-se discriminada, mas prosseguiu. Lutou pela vida e pela possibilidade de defender os seus irmãos semitas e tantos outros irmãos privados da liberdade ou da construção da própria história apenas por terem nascido filhos de um povo perseguido. Em 1951, Hannah Arendt tornou-se cidadã americana. Em pouco tempo a refugiada se transformou na famosa conferencista que encantava os ouvintes em Harvard, Princeton e Chicago e que voltava à Alemanha e a Paris respeitada pelos conceitos que disseminava. E o mais fascinante em sua história é que, mesmo depois de tanto sofrimento, seu grande legado foi o de considerar que a solução para a humanidade estava no *amor mundi*, ou seja, no amor pelo mundo. Em sua obra, *A Condição Humana*, publicada em 1958, Hannah Arendt faz um retrospecto de toda a história do pensamento desde os gregos e romanos, tentando explicar a presença do homem no mundo e o seu percurso em busca da liberdade. A liberdade que só pode ser proporcionada por um amor capaz de construir e de respeitar as diferenças. *Quebrando pedras e plantando flores*, essa foi e é a marca de Hannah Arendt.

Pensei em dizer alguma coisa parecida para a mulher sofrida que buscava razões para as suas pedras, para as suas perdas. Temi dar uma resposta pronta, fácil para uma vida tão dura, tão difícil.

Lembrei-me de um amigo querido que nos momentos finais da vida terrena, em um quarto de hospital, perguntou-me sobre o fim. Tentei responder como alguns filósofos explicavam a morte, e ele, inquieto, queria saber o que eu pensava do fim. É mais fácil dizer o que os outros dizem do que dizer o que a gente sente. Era um amigo partindo. Um amigo amado. Tinha sido meu professor de história e me ensinado a conhecer um pouco da riqueza do homem no mundo. Respondi dizendo que não sabia. Que o mistério da partida não tinha sido revelado a homem nenhum. Lembrei a ele que, nas aulas que ele magistralmente conduzia, ele nos falava de tantas religiões que davam explicações tão diversas para o adeus do corpo. Ele apenas me olhava esperando que algo mais fosse dito. Não se tratava mais de uma pausa. Tratava-se do fim. Pausas existem aos montes em nossa vida. Como as pálpebras que fazem toda a diferença porque descansam a visão. Ele sabia que as pálpebras em pouco tempo descansariam para sempre e queria uma resposta. O que disse naquele janeiro ensolarado em um quarto de hospital foi que eu acreditava em Deus. E ele concordou com a cabeça dizendo que também acreditava. E eu me enchi de coragem e disse-lhe que ficasse tranquilo. Se Deus existia, Ele não nos trataria como um brinquedinho que, quando velho ou estragado, se joga fora e se coloca outro no lugar. Fomos feitos para muito mais do que isso. Ele sorriu. Naquela espera pelo fim, ele sorriu. De fato Deus não nos fez para o nada, mas para a plenitude. E a plenitude é complexa demais para que nossa razão saiba explicar. Meu amigo ficou com as pálpebras cerradas, como o filho, o sobrinho e o neto da mulher da carta.

Padre Fábio, parece-me que não é possível não ter medo da morte. Por mais intensa e significativa que seja a nossa fé, por maior que seja nossa intimidade com Deus, esse mistério incomoda profundamente. Por que não nos foi revelado em momento nenhum o que viria depois? Não seria menos doloroso? Não viveríamos com mais serenidade? Por que essa espera?

Uma vez ouvi uma metáfora de um padre, no enterro do filho único de uma mulher octogenária. Diante da dor, ele dizia do inverno da Europa. No velho continente, as flores morrem quando o frio chega. Os ramos secos mostram que a vida ficou no passado. Ledo engano, dizia o padre. Na primavera, elas ressurgem miraculosamente. Se não soubessem disso talvez perdessem a esperança de ver novamente o jardim florir. A morte é a primavera da alma. O que parece ser o fim da vida é vida em transformação. Será isso, padre? Por que o mistério? Por que não sabermos antes, com detalhes, o que virá depois? Se somos eternos, por que precisamos passar pela morte? Não poderíamos ter nascido todos no céu e sermos todos felizes de uma vez? Quem decidiu assim? Deus?

Tenho saudade do meu pai. Estou ouvindo agora a linda música do filme *A Vida é Bela*, de Roberto Benigni. O filme é de 1997 e conta a saga do livreiro Guido que foi levado para um campo de concentração nazista, na Itália dos anos 40. Mesmo ciente da gravidade da situação, o pai conseguiu com muita imaginação transformar os horrores da rotina do campo de concentração em regras de uma gincana divertida, pelo menos aos olhos do filho de 6 anos. O intuito era proteger o filho do terror e da violência que os cercavam.

O filme traz o contraste entre as pedras e as flores, entre a vontade de ser feliz e a monstruosidade da guerra, entre o desejo do amanhecer e as agruras da noite longuíssima. Com espírito leve, porém crítico, comoveu plateias ao falar de um dos maiores dramas do século XX: o Holocausto.

Benigni se disse influenciado, além de Charles Chaplin, por Leon Trótski, um dos artífices do socialismo russo. Em seu exílio no México, foragido de seu país, ameaçado de ser morto a qualquer momento, Trótski foi capaz de contemplar a mulher no jardim e escrever que, apesar de tudo, *a vida é bela e digna de ser vivida.*

É esse otimismo incansável que impregna a história de Guido e de sua família, do começo ao fim, e a torna, como seu diretor disse, "um hino ao fato de sermos condenados a amar poeticamente a vida porque ela é bela".

O pai ia para a morte e se preocupava com a vida do filho. Milhões de judeus morreram assim, e, mesmo sendo uma judia, Hannah Arendt justificou os males do mundo como a ausência do amor. O amor pela pessoa humana, o amor pela natureza. Ontem, visitando uma amiga, fiquei impressionado com o amor que ela dedica a um cachorrinho que chegou a sua casa por uma amiga que não suportava mais as suas farras caninas. O cachorro, ainda filhote, não parava um minuto. E ela sorria com a alegria que tinha aquele animal. Hoje vi um homem batendo em um cachorro que não lhe obedecia. Defendi o animal, que parecia se contorcer de dor. Ninguém aprende assim! Por que um cachorro teve a sorte de um lar cheio de afagos e outro é vítima de espancamentos? Por que algumas crianças nascem em lares saudáveis e outras não? Por que, meu amigo, há tanta beleza de alma confrontada com tanta feiura? Quem decidiu isso?

Não soube o que dizer para a mulher da carta. Apenas ensaiei alguma poesia para aliviar o seu provável pranto e lasquei outras histórias também tristes que talvez a consolassem. Ao final, disse-lhe para não se esquecer de que continuava viva e que todas essas crianças viviam nela e em um lindo céu, que eu não tinha o poder de descrever, até porque não se tratava de um lugar, mas de um estado de amor.

E agora tenho de dizer isso para mim também. Meu pai vive em um estado de amor junto com tantos que simplesmente amaram. Mas eu não posso abraçá-lo. Talvez possa dizer algumas coisas, acho que ele me ouve.

Quebrando pedras e plantando flores... prosseguindo. A vida é bela, meu irmão amado.

Sua bênção,

Gabriel

segunda carta

“O amor nos socorre
do esquecimento.
Retira o poder definitivo
da lápide, porque
sobrevive na continuidade
do que plantamos.”

querido Gabriel

Obrigado por sua carta. O papel pousado sobre a mesa segreda motivos que não cabem nos conceitos das palavras, mas extrapolam a grafia porque pertencem a algo a que não sabemos dar nome. Sua carta foi uma visita agradável que recebi. Chegou quando não a esperava e quebrou a sequência do meu cotidiano. Floresceu diante de meus olhos, assim como o ipê desafia as regras do inverno e se reveste de flores.

Meu caro amigo, diante de suas confissões, concluo mais uma vez que a dor é um território santo.

Há uma passagem na Sagrada Escritura que considero de beleza insondável. Moisés estava diante de uma sarça que ardia sem se consumir, quando ouviu o imperativo de Deus: "Retira as sandálias dos teus pés, porque este solo que pisas é santo!".

Confesso que este imperativo musicou meu coração durante a leitura de sua carta. A trilha sonora fez com que as palavras lidas se misturassem às palavras recordadas. É a partir desta simbiose que lhe respondo.

Confesso que estou temeroso. Não gosto de respostas apressadas. Tenho medo de dizer, sem dizer, afinal, que o que há de mais precioso nesta vida costuma ser vivido e experimentado a partir do silêncio frutuoso.

Carlos Drummond de Andrade, o poeta mineiro que você admira profundamente, recomendava que, antes de escrever os poemas, é preciso conviver com eles.

Ele insinuava que antes do nascer da palavra há sempre um sabor de silêncio que precisa ser sorvido.

Creio que o poeta tinha razão. A boa palavra se alimenta de silêncios e pausas. Um grande poema costuma nascer de profundas e fecundas experiências de contemplação da realidade. O poeta, ao enxergar o silêncio do ainda não dito, diante dele se prostra e o experimenta, e somente depois o reveste de palavras.

Suas perguntas são religiosas. Elas buscam unir as pontas da corda que amarra a vida e a sustenta de sentido.

Costumo dizer que a dor é uma quebra da corda, porque nos retira da segurança. Há acontecimentos que nos fazem mergulhar no absurdo da existência. O absurdo é a ausência de sentido. É o momento da vida em que a alma se sente penetrada e transpassada por uma dor lancinante. É no momento do desespero que experimentamos a nossa humanidade em suas dimensões mais venturosas. Os exemplos já foram postos por você. Cora Coralina só foi a mulher que foi porque não fugiu dos absurdos do mundo. Deles fez poesia qualificada. A alma transliterada nos faz mergulhar nos recônditos de uma mulher que não viveu por acaso. A dor transmudada, redimida, purificada nos calvários da escrita que o ofício poético lhe reservou na velhice tem o poder de nos devolver a apetência do sonho. Cora Coralina nos encoraja a enxergar as belezas que se escondem nas tristezas.

Há um poema belíssimo em que ela narra a demolição do sobrado que marcou os áureos tempos de sua mocidade. A descrição minuciosa do acontecimento nos leva a experimentar os mesmos sentimentos que ela. Eu, que nunca havia pisado as soleiras do nobre sobrado, chorei com ela a amovibilidade daquelas paredes tão frágeis.

Gabriel, vez ou outra nós também presenciamos a demolição de nossos sobrados interiores. Vez ou outra precisamos encarar os monturos que restaram de nossas realidades. É o tempo, e sua batuta implacável a reger os acontecimentos. É o inevitável e seus dentes afiados.

Meu amigo, ao narrar a morte de seu irmão, pude reconhecer em suas palavras o ruir de uma presença humana. Sobrado suntuoso, acolhedor, ocupando a centralidade de sua cidade interna. Seu irmão cumpria o ofício de ser parede protetora, telhado que o resguardava de seus medos, varanda que lhe permitia contemplar o bom da vida, naquilo que chamamos de fraternidade.

Um dia a fatalidade o resgatou. O sobrado foi demolido, assim como fora o sobrado de Cora.

Da mesma forma, seu pai, o homem que projetou a arquitetura de seu caráter e que lhe ensinou tudo o que você sabe sobre a bondade, também foi embora de maneira definitiva. Grandes perdas, grandes pedras. Grandes aprendizados, grandes flores.

Gabriel, tenho contemplado de perto os calvários da humanidade. Mulheres com os filhos mortos nos braços, gritando pelo sentido, chorando a dor que não tem nome, a inversão brutal das regras da vida, o absurdo de ver partir, antes do tempo, a cria de suas carnes. Mulheres semelhantes àquela que entrou em sua vida através de uma carta e que reivindicava o direito de compreender o mistério da morte de seus inocentes.

Mais uma vez eu me recordo de Drummond e de seu sábio conselho: "Convive com os teus poemas antes de escrevê-los".

Meu caro amigo, há acontecimentos que não combinam com explicações. E, mesmo que explicações existissem, não seriam capazes de aplacar a dor que provocaram. Nem sempre os claros e objetivos postulados da razão cartesiana conseguem resolver as questões humanas. Saber o porquê da morte não sana nem preenche a ausência sentida.

Como homem da religião, tenho constatado que o discurso religioso, quando mal aplicado, pode ser tão nocivo quanto o discurso desumano dos assassinos.

Escuto absurdos sobre Deus, quando pessoas movidas por boas intenções resolvem explicar as fatalidades do mundo. Frases simplórias e descomprometidas com a verdade não resolvem; ao contrário, agravam ainda mais o sofrimento, porque geram orfandade, descrença e abandono.

Justificam as tragédias humanas como "vontade divina", retirando assim a responsabilidade humana dos acontecimentos, fruto das escolhas que fazemos. Respondem a tudo e a todos como se o desvelamento do mistério pudesse resolver as questões.

Eu ainda prefiro o abraço solidário, o silêncio que nos permite proximidade e o comprometimento com a dor que me toca. Ainda prefiro sentir o vento frio do calvário a procurar o aquecimento mórbido do sepulcro que nos cala antes da hora.

Gosto de compreender as religiões como tentativas humanas de refazer a corda. Tenho medo quando o discurso religioso é utilizado para responder de forma mágica a questões que são humanas, sangradas no asfalto das cidades, em lugares que nossos olhos não alcançam.

Por isso não tenho receio de afirmar que o específico das religiões não consiste em responder às perguntas, mas em nos ensinar a conviver com elas. Na tentativa de resolver os conflitos que nos afligem, corremos o risco de atentar contra a sacralidade dos fatos.

Dessa forma, deixamos de plantar as flores e insistimos em chorar sobre as pedras. Diante do sobrado demolido, Cora Coralina resolveu escrever o poema, pois sabia que as palavras poderiam resguardar o significado de tudo o que as pedras insistiam em sepultar.

Gosto de compreender a ressurreição de Jesus da mesma forma. Diante da ausência sentida, a saudade fez o apóstolo intuir e proclamar: "Ele está no meio de nós!". O grito nasce do reconhecimento da transformação acontecida. Eles não eram mais os mesmos. O sobrado crístico já estava erigido na alma de cada um. João, o homem que era chamado "filho do trovão", o homem de temperamento difícil, revestia-se de docilidade. Pedro, o homem que mal sabia falar, o homem que foi frágil até o momento da morte do melhor amigo, estava mergulhado numa coragem invejável. Eles se olhavam e percebiam que Ele não havia ido embora, mas apenas modificara a forma de ficar.

Isso retira a necessidade que temos da materialidade da ressurreição. Não importa que haja um corpo encontrado ou um corpo desaparecido. O que a ressurreição nos sugere é muito mais que um corpo material. O mais importante, e o que verdadeiramente pode mover o cristianismo no tempo, não está na prova material da ressurreição, mesmo porque não a temos. O que possuímos, e isso ninguém pode contestar, é o fato de que os discípulos nunca mais foram os mesmos depois da vida, morte e ressurreição de Jesus. A declaração cristã "Ele está no meio de nós!" nos assegura a continuidade do plantio das flores. Onde existir um ser humano comprometido com as palavras e a proposta de Jesus, lá Ele estará presente. Isso não é lindo, meu amigo?

Teilhard de Chardin, teólogo jesuíta, chamava isso de "cristificação do universo". Esta mística nos permite uma aproximação ainda mais interessante da eucaristia, acontecimento ritual que nós, católicos, chamamos de "presença real de Cristo". O que é a presença real? A matéria consagrada? O pão e o vinho somente? Não. Juntamente com as duas substâncias está o bonito e sugestivo significado da ausência. A comunidade que celebra, enquanto celebra, prepara a chegada do que vai voltar. A volta de Jesus não é apenas um acontecimento escatológico, reservado ao final dos tempos, mas induz a comunidade a um comprometimento histórico com as dores do mundo.

Jürgen Moltmann, grande teólogo alemão contemporâneo, aprofunda de maneira muito preciosa o conceito de esperança. Segundo ele, a esperança cristã é sempre operante, porque nos mobiliza a atualizar no tempo a presença do esperado.

Com isso, podemos saborear a espera. Ao socorrer os necessitados, podemos antecipar a volta de Jesus. Ao consolar o coração de uma mulher que perdeu um filho, e com ela sendo solidários, podemos dar início ao processo de sua cura.

Isso também é celebrar o mistério eucarístico. É deitar a toalha branca sobre o altar do coração humano, reconhecendo nele a dor que precisa ser redimida, e elevá-lo, em prece, aos céus. É a ausência humana sendo curada através da presença comprometida, movida por uma esperança operante, que encontra motivos para continuar na celebração sacramental que nasceu da ausência sentida.

O motivo da última ceia foi a preparação da ausência. Foi a oportunidade que Jesus teve de sacramentar em seus discípulos a coragem da continuidade. Nada mais bonito que preparar a ausência com um jantar entre amigos. O prato principal não era material. Do que eles precisavam era aprender a mística do alimento. Nós nos transformamos no que comemos. O que Jesus propunha não era um ritual de antropofagia. Comer e beber juntos significa estarmos comprometidos. O banquete não é lugar para saciar somente a fome do corpo, mas também a fome da alma. Ao estar com os que amo para me alimentar, de alguma forma eu os trago para dentro de mim.

Ao interpretar a transcendência do amor interpessoal, o filósofo Gabriel Marcel intuiu que amar consiste em olhar o amado nos olhos e dizer: "Tu não morrerás jamais!". Ele pode ter aprendido isso ao contemplar a última ceia. Cora Coralina disse a mesma coisa, mas com palavras diferentes, que você citou em sua carta: "Não morre aquele que deixou na terra a melodia de seu cântico, na música de seus versos".

O amor nos socorre do esquecimento. Retira o poder definitivo da lápide, porque sobrevive na continuidade do que plantamos. Por isso a ausência é lugar de encontro. Basta exercer a força da visão poética, a via que costuma salvar o mundo de seus desesperos e ruínas.

Uma bonita expressão atribuída a São João da Cruz, o grande místico cristão, nos diz que "o que podemos conhecer de Deus são as pegadas de sua ausência", uma frase que desconcerta os religiosos ávidos por sinais concretos. O que temos de Deus são vestígios. Por isso é tão importante não perder o desejo de procurar. Encontrar respostas é satisfação temporária. O bom mesmo é a investigação que nos mobiliza. As teologias nascem dessas ausências. É a partir delas que as teologias postulam as suas verdades, porque a ausência é uma categoria cheia de sugestões.

Volto à eucaristia. O que celebramos e o que vemos é muito pouco perto de tudo o que verdadeiramente significa o rito. Não podemos materializar a eucaristia, retirando-a da totalidade de sua abrangência. Digo isso, meu amigo, porque reconheço suas dores como eucarísticas. Assim como foi também a dor de Hannah Arendt, de Cora Coralina e de tantos homens e mulheres que semearam o mundo de flores e sentido.

Da mesma forma que não posso reduzir a eucaristia a um detalhe de sua totalidade, também não quero reduzir sua carta a uma simples resposta.

Permita-me dizer que suas perguntas, nascidas de suas ausências, saudades e indignações, em vez de me provocarem o desejo de lhe responder, fomentaram em mim muito mais silêncios que palavras. O pouco que escrevo é apenas um modo que tenho de dividir o que creio sobre tantas coisas, e que por ventura entra no contexto de suas falas. Talvez eu não tenha respondido absolutamente nada. Não importa. O mais bonito de tudo isso é saber que suas palavras me fizeram pensar nos sobrados que já reconstruí dentro de mim. Ausências às quais aprendi a atribuir sentido. Sofrimentos que antes eram capazes de me sepultar e que agora me sugerem experiência de plantio de flores.

O mais importante é que no sacramental desta carta pude recebê-lo em minha casa e a seu lado deitar a toalha branca sobre o altar dos nossos significados, para juntos repetirmos no tempo o que nele não cabe. A matéria que celebramos? Ainda não sei. Vou seguir o conselho do poeta. Vou conviver com ela e saborear o seu poder de silêncio, antes de encontrar as palavras que possam dizê-la ao mundo.

Obrigado pela eucaristia que sua carta me permitiu celebrar. Confesso que, ao terminar a leitura, tive o ímpeto de repetir uma expressão ritual, aquela que assegura a sacralidade da palavra proferida: “Palavra da Salvação!”. No íntimo de meu coração, rezei dizendo: “Glória a Vós, Senhor!”.

Permaneçamos unidos. Nesta mística, neste tempo, neste mesmo sobrado que os sábios chamam de amizade e que nos ajuda a enfrentar os medos que sentimos.

Com minha bênção,

Pe. Fábio

Terceira carta

"Temos esse poder.
O poder de dar significado
às pessoas que amamos.
O poder de tirá-las do meio
da multidão e ajudá-las
fraternalmente."

Querido amigo padre Fábio

A presteza da sua resposta e a responsabilidade de suas palavras encorajam-me a rabiscar um pouco mais, já que as toalhas da celebração das ausências estão postas.

A amizade cobra seu preço. Não nos sentimos obrigados a dizer algo a quem amamos porque não se trata de obrigação. Sentimo-nos compelidos, impulsionados, porque do mesmo sobrado demolido de Cora Coralina nascem flores que nos segredam poesia. E você me disse de Drummond e de sua convivência com os poemas antes de seu nascimento. De sua maiêutica, da parturição que Sócrates propunha. Cada ideia tem de ser gestada antes de nascer.

Gosto da franqueza das suas respostas e das suas não respostas. Até porque, nos sobrados despedaçados, o universo da procura é mais rico que o da descoberta. Procuramos os nossos companheiros, como Drummond.

O presente é tão grande, não nos afastemos.
Não nos afastemos muito, vamos de mãos dadas.

É de mãos dadas a sua fraternidade, meu amigo. É melhor assim: o abraço solidário, a cumplicidade diante da dor do que palavras ditas sem a tal gestação. Sofro das ausências, mas sofro de mãos dadas. O presente é muito grande. O mundo também. É por isso que de mãos dadas fica mais fácil ou, pelo menos, mais belo.

Quando eu vejo as pessoas indo de um lado a outro - algumas com expressão leve, outras cansadas, desanimadas; algumas vagarosas, outras apressadas - fico imaginando o encontro. Aquele homem que vai é um homem a mais que vai. Mas ele chega. E encontra alguém que dá significado à sua existência porque sente a sua ausência. Sentir a ausência de alguém é dar sentido à sua existência. É uma criança que exulta ao entrar em casa sabendo que alguém estava à sua espera. Chegar e não encontrar é dor doída demais. É sentir-se esquecido, desprovido de cuidado. É estender as mãos para ninguém. O encontro com o outro ou até mesmo com os cantos que escolhemos para descansar de nossas andanças nos alivia. Como é bom voltar. Voltar a casa, voltar à consciência, voltar ao enredo que ficou esquecido em algum lugar no recôndito dos nossos sentimentos.

As idas e vindas cotidianas são transformadas em encontro. Com o outro ou com a gente mesmo. É uma pausa na ausência do significado. Somos desertores do que dá essência ao que significamos. Transitamos de um lado a outro, vemos e não enxergamos ninguém. São travessias ininterruptas de desconhecidos. Ao passo que, quando são reconhecidas, as pessoas se transformam. Sorrisos, dizeres, acenos, um gesto que seja, e aí está o significado.

Temos esse poder. O poder de dar significado às pessoas que amamos. O poder de tirá-las do meio da multidão e ajudá-las fraternalmente. Pessoas caídas que precisam de uma mão. Temos duas. Pessoas fragilizadas. Precisam de uma palavra. Temos tantas. E as usamos com tantas imprecisões, com tanto desperdício, que na hora certa acabamos calados, economizando elogios, ternura

Quando Jesus olhou para aqueles homens simples e os convidou para construírem com ele uma nova civilização, certamente por ali muitos outros homens já haviam passado e não viram nada além de homens pescando, quando muito. Jesus viu além. E aquele significado, o significado de um encontro de amor, mudou definitivamente a história de cada um deles. A vida ganhou o sentido de missão. Jesus olhou da maneira certa, fez com que cada um se sentisse único, o que é essencial para se ganhar significado. Amou-os sem economias nem distinção. Um sopro vital fez com que as impertinências cotidianas ficassem enterradas. Era hora de escalar mais alto, de tirar as sandálias e pisar no solo sagrado da vida feito missão. Era o olhar de Jesus, relembrado por Gabriel Marcel, *tu não morrerás jamais.*

Seria esse o segredo do amor? Quando Vinicius de Moraes brinca de um amor que é apenas chama, portanto se apaga, e conclama que seja imortal apenas enquanto dure, não estaria ele falando de um amor paixão? Fala o poeta em riso e em pranto, em pesar e em contentamento. A paixão não é assim? Barulhenta? Brincalhona? Quanto menos correspondida, mais sentida? Ou isso é teimosia?

Talvez seja uma discussão semântica desnecessária distinguir amor de paixão. Há quem use paixão como efemeridade de encontros banhados apenas por desejos frementes. Há quem use amor no mesmo sentido, distinguindo, entretanto, amor ágape de amor eros. Amor que constrói de amor que extingue. Ou esse último não é amor?

A paixão, ou o amor eros, é arrebatadora. A história da literatura é recheada de lindos encontros e desencontros de amor. Desde a tessitura de Penélope aguardando o seu Ulisses, na apologia da fidelidade da mulher ao seu amado ou da mulher a ela mesma, à sua espera, passando por Eros e Psique e o ciúme doentio de Afrodite. Histórias mitológicas que se misturaram a histórias reais como a de Dante e Beatriz. Quantas vezes se encontram o genial artesão da palavra e a menina mulher? Três vezes, no máximo. O que importa? Tudo de Dante tinha Beatriz. Desde a primeira pausa da calmaria dos sentidos até o último dia Beatriz viveu em Dante. Como Marília em Dirceu. Marília não tinha esse nome, era Maria Doroteia de Seixas Mairink. E Dirceu era Tomás Antonio Gonzaga. Transformados pelo amor, transmutados pelo êxtase poético dos livros e das teias da vida.

Amores reais ou exagerados em poesia. Marília era a musa inspiradora ou a mulher atendida? Amores reais ou sentimentos projetados? O romance de cavalaria de Tristão e Isolda que influenciou tantos outros escritos lacrimejantes de amor começa assim:

Se quiserdes ouvir, gentis senhores, uma história de amor e de morte, eis aqui o romance do cavaleiro Tristão e da rainha Isolda, de como os dois se amaram na alegria e continuaram a se amar na tristeza, de como um dia morreram daquele amor, ela por ele, ele por ela.

Padre Fábio, na primeira carta, perguntei-lhe sobre o amor que parte; sobre a dor da ausência. A morte é o maior medo da humanidade: a viagem ao desconhecido. Suas respostas alimentaram uma metafísica vivificada. Não há por que viver da angústia do que não veio e deixar de minimizar a angústia de quem precisa enlaçar as mãos. Saber que a morte existe talvez ajude a viver melhor. O rico instante único. Os encontros não casuísticos com a dor que reergue os alicerces da alma.

Há tantas outras perdas, meu amigo. Tantos outros medos. O medo de não ser amado é doloroso demais. É como um botão fechado de flor. Cada vez que se contempla o jardim, vê-se o botão e se tem esperança de que um dia ele haverá de desabrochar. A esperança alimenta a dor. Quanto mais o ávido de amor se aproxima, mais sente a resposta dos espinhos. E há tantas outras flores. Quem sabe por que aquela e não outra qualquer foi a escolhida?

Os sorrisos se perdem, o mundo se apequena. Nada mais tem sabor. Os encontros voltam a perder o significado porque só uma mão interessa para ser enlaçada. Os dizeres de tantas vozes carinhosas se perdem. É a surdez da espera de uma única sinfonia que talvez ainda nem tenha sido composta. Projeções. Sartre chama a isso de inferno. *O inferno são os outros*, diz ele. O inferno são os outros porque projetamos nos outros a nossa realização e aguardamos deles uma ação que amenize o vazio que nos habita. Isso não é possível. Porque cada um tem de experimentar o território sagrado do silêncio e da solidão. E cada um, para existir de fato, tem de dar conta do próprio vazio.

Cecília Meireles, certa feita, revelou que sua infância de menina sozinha lhe rendeu duas coisas que parecem negativas e que foram sempre positivas: silêncio e solidão.

Acredito que as pessoas que se apaixonam e não são correspondidas têm esse medo do silêncio que desnuda os sentimentos e edifica um oráculo, a intimidade dos segredos que segregam, quando não há barulho, a parte mais complexa das nossas dores. Fala-se muito para que o silêncio não revele o essencial. É o temor que tem a face embrutecida pela rudeza das opções equivocadas em se perceber novamente. Por que não olhar e entender os exageros cometidos? Não falo dos choros prolongados, das noites barulhentas, das histórias recorrentes fantasiosas de um amor sem amor. Falo do medo esquisito de sair do escuro e reencontrar a luz. Há tantos que desistem da luz e que rastejam em busca de alguma migalha a que chamam atenção, ou, pior, amor, e que usam para desculpar alguma estranheza do objeto amado. Sim, porque o causador da tempestade se torna um objeto presente nos pensamentos e nas conversas, vivificado em sonhos e em bilhetes.

Certa vez um adolescente queixumento chorava compulsivamente pela amada que partia. Ele queria o amor quente dos encontros do corpo. Ela desculpava-se, exaltando a amizade. Ele dizia as piores atrocidades contra a desalmada e depois abrandava a voz para narrar as palavras ditas em profusão, quando não havia dúvidas de lado nenhum, e depois novamente a rebeldia contra a partida e mais uma vez a ternura lacrimosa. Assim mesmo. Dual.

Perguntou-me o que fazer. Eu falei sobre o tempo. Sobre a beleza de chorar por alguém. De chorar por amor como consciência de estar vivo. Chorar por amor é melhor do que sua ausência. Chorar o tempo certo, depois é preciso viver. Era essa a sabedoria: chorar o tempo certo! O tempo da compreensão de que o outro simplesmente não nutre por mim os mesmos sentimentos. Talvez não passe de uma obsessão, de um pacto que eu fiz comigo mesmo convencendo-me de que é o outro o anjo alado que terá de me encontrar para partilhar de minha história. Platão fala desse amor perdido e de sua busca. Mas fala em discurso depreciativo. Não há amor eros quando apenas um ultrapassa a margem do rio. O banho não é solitário. E não é inteligente jogar água em quem não quer se molhar. A distância é longa, e por mais que um esteja enxaguado e se aproxime, a contragosto do outro, a água será incômodo, não alívio. Sensação desagradável. Os pingos servirão para afastar ainda mais quem não quer. Porque quem quer há de entrar nas águas abundantes de uma cachoeira cristalina. Sem esconderijos. Aí, sim. O milagre do encontro acontece, e os dizeres ganharão outro significado. Mas será recíproco. Nem que seja provisório. É o conhecimento da nova vida com suas saliências e reentrâncias, com seus sabores e estranhamentos. Mas vão os dois. Não um implorando ao outro.

Uma outra jovem queria entender o que tinha mudado no amor que partiu. "Tantas palavras foram ditas", resmungava ela, desconsolada. "Não é possível que fosse tudo mentira ou que eu tenha escutado alto demais". Talvez ele tenha dito isso tudo mesmo naquele momento. E talvez não estivesse mentindo. Os sentimentos, depois de algum tempo, se organizam. As escolhas vão dando forma aos desejos, e o que ontem aquecia hoje afugenta.

A dor da paixão traz esses infortúnios. Mas passa se tivermos a maturidade de conversar com o tempo. O que dificulta é a impaciência. É a recorrência no erro de perfurar novamente o corpo dolorido.

É claro que é melhor não nos afastarmos e irmos de mãos dadas. Mas há tantas formas de amor. Sei que em sua vida de padre há muita gente que não entende as suas escolhas. Sua solidão é bela como a de Cecília. Seu silêncio faz reanimar o seu sacerdócio e o seu serviço. Compreendo a sua entrega, padre Fábio, e admiro as suas aspirações.

Gibran Khalil Gibran, o maior poeta libanês, dizia:

Para entender o coração e a mente de uma pessoa, não olhe para o que ela já conseguiu, mas para o que ela aspira.

Sua aspiração, meu amigo, é aliviar o peso corrosivo dos que ainda não conseguiram compreender o significado do amor. Como os pescadores da Galileia, você foi fisgado por um olhar iluminado que deu significado à sua vida. E é claro que em sua opção pela liberdade, pela castidade, não falta amor.

Há tantas formas de amar. E todas elas, quando autênticas, belas. A tal ponto que o mestre da patrística, Santo Agostinho, dizia que quem quisesse fazer o correto deveria primeiro amar, depois poderia fazer qualquer coisa. Mas amar verdadeiramente.

Amar não é possuir, muito menos destruir. Amar não é usar e desprezar. Amar não é exibir. Não. Amar é experimentar o bom e o belo como queria Aristóteles numa harmonia que se aprendia e se vivia. É como tocar cítara. Só se aprende tocando. E só se aprende querendo. Amar se aprende amando e querendo. Não há como impor ao outro a obrigação de amar. Há como testemunhar no silêncio feliz de uma escolha acertada ou nos dizeres simples de uma vida vivida corretamente. O amor feito canção nas mãos do cirurgião Adib Jatene, que cuidou do poeta Thiago de Mello e que dele recebeu essa oração:

A vida sempre foi boa comigo.
Quando soube que o meu coração
estava carregado de sombras,
e que ele só se alimentava de luz,
abriu uma janela no meu peito
para que por ela possam entrar
o resplendor do orvalho,
o fulgor das estrelas
e o invisível arco-íris do amor.

O amor que é invisível quando se esconde na abstração das metáforas, na metafísica, na composição muda do não dito. Mas que é visível na escritura de Rachel de Queiroz:

Eu era uma moça magrinha. Minha mãe tinha muito medo de que eu ficasse tísica e me proibia de dormir tarde. Assim, escrevi O quinze às escondidas, depois que todos dormiam, de barriga no assoalho, em caderno de escola, à luz de lampião.

Ou ainda nos dizeres de Madre Teresa de Calcutá:

Não sou nada; sou apenas um instrumento, um pequeno lápis nas mãos do Senhor, com o qual Ele escreve aquilo que deseja. Por mais imperfeitos que sejamos, Ele escreve magnificamente.

Um lápis nas mãos do Senhor, padre Fábio. Você gosta dessa definição? Não creio que Madre Teresa quis usá-la ao pé da letra, mas em um exercício do amor feito serviço. Em sua carta, amigo, você disse das incorreções em incutir em Deus a responsabilidade pelas escolhas dos homens. Há quem faça isso se valendo do preceito de que não cai uma folha da árvore sem que Deus queira. Parece-me que o correto é *sem que Deus saiba*, não *sem que Deus queira*. Ou estou errado? A onisciência divina faz com que Ele tenha consciência de tudo o que se passa nas escolhas humanas, mas Ele respeita essas escolhas, senão não seríamos humanos. E máquinas é o que não somos!

O destino, como uma linha desenhada por Deus sem que tivéssemos possibilidades diferentes das planejadas, seria um reducionismo da inteligência humana. Voltando a Sartre, estamos condenados à liberdade. Liberdade e destino não combinam. Escolhemos, portanto, a nossa história e somos os responsáveis pelos erros e acertos. Somos um lápis nas mãos do Senhor quando decidimos fazer as coisas como se Ele as fizesse.

É esse fascínio que Ele exerce sobre nós e que resgata a capacidade de amar que nos faz entender que as dores pelas quais passamos por um amor não amado vão cicatrizar. Um dia o amor enlouquecido vai embora da mesma forma que veio. O importante é permanecer inteiro como um lápis. Ou como uma flauta de bambu na oração do poeta indiano Tagore:

Senhor, que a minha vida seja reta como uma flauta de bambu.

Nossa humanidade, padre Fábio, não consegue, como você mesmo disse em sua canção, compreender.

Este jeito que escolheste de amar quem não merece

Sou humano demais pra compreender
Humano demais pra entender que aqueles que escolheste
E tomaste pela mão geralmente eu não os quero do meu lado

É o valor que Ele via naquela mulher na multidão, já condenada. O valor que Ele via em Zaqueu, Simão, Mateus ou no ladrão que estava ao seu lado na crucificação. E a resposta está na mesma canção:

Eu insisto em ver a margem
Quando vês o coração

A margem faz com que julguemos na superficialidade de nossos pseudoencontros. Conhecemos e não gostamos ou conhecemos e já nos apaixonamos perdidamente como se não houvesse vida sem a pessoa que ontem chegou. Não importa se já vivemos trinta, quarenta ou cinquenta anos sem esse encontro. A partir dele tudo se transformou. Ilusão!

Não quero naturalizar ou simplificar a dor do amor não correspondido. Vivi e conheci histórias dolorosas de entregas involuntárias por um pouco de ternura.

Involuntárias porque não se decide quem amar quando se trata de eros. O sentimento vem de assalto e desmantela a razão. Não há explicações possíveis. Há apenas emoção. Emoção sentida ou imaginada. Leituras corretas ou erradas, mas leituras. Lê-se o semblante do outro e as suas reações o tempo todo. Interpreta-se da forma como a emoção explica. Justo ela que não é perita em tal arte. E a dor se amplia e a razão se apequena.

Não faço aqui a apologia da razão sem a emoção, da alma sem o corpo, do dever sem o prazer. Esses maniqueísmos são prejudiciais ao equilíbrio. Faço apenas uma reflexão modesta com a intenção de dar sentido ao caminhar de mãos dadas de Drummond de uma forma boa e bela, portanto amorosa. E ainda de emprestar o lápis de Madre Teresa e se encantar com esse Nazareno que surpreendeu e surpreende por sua imprevisibilidade no amor. Destrói correntes de convenções desnecessárias e se faz comunhão na liberdade.

O medo de não ser amado é recorrente em um mundo pouco preocupado com os sentimentos alheios. Não há tempo para gastar com pessoas complicadas. Quem quer ensinar o pescador de peixe a pescar homens? Quem quer olhar para a pecadora e mudar a sua vida? Quem quer se lambuzar de histórias intermináveis de uma interminável espera de um encontro imaginário? Não há tempo nem disposição. São as margens que mais aparecem enquanto o coração se esvazia.

Meu amigo, há tanta gente cheia de beleza que se perde à beira do caminho à espera desse suposto amor. Enfeiam-se diante da negativa dos seus desejos, diminuem-se diante da morte das suas aspirações. Ora, não se trata de aspiração essa obsessão. Trata-se de feridas dolorosas, remexidas, de uma corrosão da autoestima. Deixam de lado o viço da juventude ou de qualquer idade para esperar. E a travessia fica sem sabor.

Há um tempo em que é preciso abandonar as roupas usadas, que já têm a forma do nosso corpo, e esquecer os nossos caminhos, que nos levam sempre aos mesmos lugares. É o tempo da travessia: e, se não ousarmos fazê-la, teremos ficado, para sempre, à margem de nós mesmos.

É o que propõe Fernando Pessoa, que também sofreu de amor e talvez nem tenha conseguido atravessar a dor.

É disso que falo, meu amigo. Aos amantes não amados, não um conselho, mas um intento amoroso. Abandonar as roupas usadas e ousar novos caminhos. É um desperdício deixar o burburinho interminável da teimosia, roubar a preciosidade da solidão e do silêncio. Não há por que ter medo. É bom ficar a sós e reconstruir com pedras e enfeitar com flores os sobrados que se desmancharam por aí. Talvez não fique igual. Talvez seja melhor que nasça diferente. As comparações podem ser corrosivas do metal nobre da escultura em modelagem ainda frágil. Não há pessoas iguais nem sentimentos iguais. Há novas tentativas, novas formas de descobrir e dar significado a um rosto que era só multidão.

Obrigado, irmão, por partilhar seu tempo com minhas divagações. Com você, a travessia fica mais bonita.

Gabriel

quarta carta

*"O amor é o maior
de todos os artesanatos.
Não amamos da noite
para o dia. Amor
é construção que requer
empenho, assim como
a trama dos teares
requer demora na
escolha das linhas
e das cores."*

Meu amigo Gabriel

Suas palavras requerem calma. É como caminhar pelas vielas de uma cidade cheia de surpresas. Há recônditos que escondem preciosidades. Eu vou no ritmo em que me é possível caminhar, desejoso de sorver ao máximo este horizonte repleto de possibilidades. Ao mesmo tempo, vivo a tentação de ficar um pouco mais, demorar-me nas curvas das entrelinhas. Se por um lado lhe ofereci a mesa posta , por outro você me ofereceu o melhor dos alimentos: uma boa prosa.

Aceito o poema de Drummond. Também quero andar de mãos dadas. Esta metáfora tem o poder de curar o mundo, já que uma das maiores dores que podemos identificar nos dias de hoje é o medo da solidão. Sofremos de uma orfandade que parece incurável, justamente porque não sabemos onde pulsam as suas causas. Apenas sentimos, descobrimos na carne o receio de que nos falte alguém que possa segurar nossa mão no momento do desespero e da solidão.

Há uma reflexão que me foi proposta, nos idos tempos da minha graduação em filosofia, quando eu ainda descobria os encantos desse saber que mudou minha vida. "Tudo o que é sólido desmancha no ar." A frase de Marx estava escrita no quadro, e o professor nos instigava a pensar a pós-modernidade a partir dela.

Recordo que o primeiro pensamento que me ocorreu foi a ligação do conceito de sólido com o conceito de amor. Cresci ouvindo que o amor é um atributo divino, esquecido nos humanos, e que tem o poder de nos salvar de nossas misérias. Cresci acreditando e, sobretudo, experimentando na carne que o amor é um recurso que nos faz eternos. Só ele é capaz de nos livrar da morte definitiva, do esquecimento absoluto, porque nos reveste de memória, que será celebrada cada vez que formos recordados.

Gabriel, gosto de pensar que a primeira experiência humana que fazemos neste mundo é a experiência do cuidado. A imanência histórica e social humana é uma situação de finitude e de corporeidade dependente. Essa imanência nos empurra para o colo, para a necessidade de sermos recolhidos, embrulhados, acariciados, adotados. É assim que entramos no mundo: necessitados. Mas o limite é belo. A dependência é bem-vinda. É nela que reconhecemos o sólido onde firmamos os pés. É nela que lançamos a base de nossa condição saudável de homens e mulheres naturalmente afeitos e dispostos ao amor. A experiência antropológica do cuidado é uma resposta à nossa precariedade.

A frase de Marx está ligada a um contexto muito mais amplo, e você sabe disso muito melhor que eu. Marx fala da instabilidade das estruturas que até então sustentavam as sociedades. Os poderes estavam diluídos, e o tempo das certezas absolutas estava sendo reduzido a pó. Marx teve grandes motivos para dizer tudo isso. A pós-modernidade estendeu na história as consequências dessa fragmentação. As grandes mudanças sociais moldaram uma nova antropologia, cuja principal característica é seu caráter provisório. É lamentável, meu amigo, mas a mesma relação temporária e utilitária que estabelecemos com as máquinas costuma ser repetida e aplicada nas relações humanas. Tudo o que é sólido desmancha no ar, inclusive o amor...

Tenho me interessado muito por essas questões. Elas me tocam diretamente, pois, como padre, tenho acesso aos bastidores da humanidade. Tenho descoberto dores muito comuns, doendo em pessoas muito diferentes. Gente que gostaria imensamente de experimentar um amor compromissado, mas que ao mesmo tempo se sente incapaz de construir uma relação equilibrada e saudável. Sua carta me fez pensar ainda mais sobre tudo isso. Ela fala de amor, mas fala também de insegurança...

Zygmunt Bauman, sociólogo polonês que você conhece tão bem, faz uma leitura muito interessante dos dias de hoje a partir do conceito de líquido. O autor nos sugere que boa parte das neuroses contemporâneas nasce justamente da fragilidade dos laços humanos.

Estamos cada vez mais inaptos para os vínculos duradouros. O que parece prevalecer é o desejo incontido de paixões avassaladoras, sentimentos à flor da pele, novidades constantes. É nesse emaranhado de encontros e desencontros, de chegadas e partidas, que o amor e a paixão mostram a sua face.

É curioso, meu caro amigo, mas também me perco na tentativa de estabelecer os limites conceituais entre amor e paixão. Tenho intuído que nisso mora a diferença: a paixão sobrevive de pressas; o amor, de demoras. A paixão é um fogo alimentado pelo álcool. Queima rápido. O amor parece ser fogo a lenha. Tem ritmo diferenciado.

As relações humanas precisam voltar a ser artesanais. A revolução industrial nos legou a produção em série. Levamos a sério o aprendizado. Deixamos de ser artesanais em quase todos os aspectos da vida. Tenho saudade dos velhos teares, onde a trama das linhas nos presenteava com resultados surpreendentes. A trama final nascia de mãos afeitas a trabalhos de minúcias.

Meu caro Gabriel, o amor é o maior de todos os artesanatos. Não amamos da noite para o dia. Amor é construção que requer empenho, assim como a trama dos teares requer demora na escolha das linhas e das cores.

Gosto de compreender o amor como eleição. Alguém que até então estava perdido no meio da multidão foi eleito. Tornou-se sagrado, saiu do contexto que era de todos e agora desfruta de um horizonte particular.

Na teologia, trabalhamos o tempo todo com o conceito de sagrado. É tão sugestivo. É sagrado tudo aquilo que foi recolhido do espaço profano para ser apresentado sobre o altar do sacrifício. O profano, isto é, o que estava fora do templo, foi eleito, recebeu sagração, tornou-se outro, foi elevado, constituído em dignidade irrevogável.

Quem dera as pessoas se amassem assim. Quem dera as pessoas pudessem compreender e experimentar o amor a partir desse comprometimento conceitual.

Gabriel, tenho medo de passar pela vida sem verdadeiramente experimentar os desdobramentos mais salutares de minha capacidade de amar. Vejo as pessoas tão perdidas em suas paixões, tão fadadas ao destino trágico da solidão, assim como foi o destino de Macabéa, a alagoana de ovários murchos em que Clarice Lispector soprou ar de literatura e fez viver nas páginas de *A hora da estrela*.

Meu amigo, Macabéa morreu grávida de futuro, mas não o partejou porque não amou. Limitou-se a viver com os olhos presos no raso da vida, no presente medíocre e só. Do cais do porto, não quis a possibilidade da partida. Ficou somente com o aperto no coração cada vez que ouvia o sopro do navio anunciando novos destinos. Não aprendeu que amar é partir. É rumar nas venturas que nos proporcionarão encontros e crescimentos. Preferiu permanecer com os ovários murchos, metáfora de uma infertilidade que abrange a totalidade da vida.

A hora da estrela foi a hora da morte. Não havia outro desfecho possível. Macabéa não poderia chegar viva ao outro lado da avenida, pois não teria sonhos para continuar. Não teria um amor que a encharcasse de motivos e a ajudasse a suportar as dores da vida.

Você tem razão quando diz que o amor não pode ser experimentado fora da dor. Aliás, ando pensando que a dor só tem sentido se estiver costurada na bainha do amor. O que nos faz querer ficar ao lado, ouvir o sopro do navio e aceitar os desafios da nova viagem é a certeza de termos sido eleitos. Amados e amantes comprometidos pelas mesmas causas, resolvidos a querer a vida com todas as suas exigências.

Os apaixonados, isto é, os que sofrem de paixão, nem sempre chegam ao final. Perdem-se antes do término. Morrem na travessia, assim como morreu Macabéa. A paixão não costuma ter planos para o futuro. É pragmática. Já os amorosos não se limitam ao tempo presente, mas estabelecem metas que possam durar a vida inteira. Os apaixonados nem sempre são portadores de ovários férteis, tampouco costumam estar grávidos de um futuro que os faça driblar a sedução da morte prematura.

É, meu caro amigo, também tenho procurado não morrer. Tenho diante dos olhos que há sempre um modo de encontrar alguém que necessite do meu amor. Castidade só tem sentido se for compreendida assim. Caso contrário, é ovário murcho, tal qual o de Macabéa, incapaz de dar à luz quem quer que seja. Castidade não é restrição, mas possibilidade. Sou um homem livre para andar pelos corredores e travessias do mundo. A liberdade que experimento é escolha. Ninguém me obrigou a assumir o que assumi.

Meu desejo é encontrar as Macabéas que estejam prestes a atravessar a avenida da morte. Restituir sonhos é uma pretensão que carrego comigo. Ela nutre o meu desejo de ser casto, de ser do outro, não como objeto a ser usado, mas como um sentido a ser proposto. Carrego em mim um ofício que reconheço santo. Estabelecer as pontas da corda. Ser homem religioso, no mais profundo do termo. Viver para unir, para religar, congregar, para restaurar o que está danificado. Nestes tempos líquidos, ousar ser um lugar de segurança. Por meio de um gesto solidário, uma palavra bendita, uma celebração restauradora.

Meu amigo Gabriel, Bauman é muito perspicaz em sua análise. O amor é cada vez mais líquido, provisório. Escorre pelos vãos dos dedos sempre que tentamos segurá-lo, porque temos medo do compromisso que dele nascerá. Ao mesmo tempo que dele necessitamos, nós o rechaçamos. Estranho, não é mesmo? Queremos o valor da moeda, mas não queremos suas duas faces. Talvez seja por isso que o amor tem sido reduzido ao horizonte das paixões, e nisso consiste a gênese de tantos medos, sofrimentos e frustrações.

Eu me recordo do tempo em que morava nas belas serras do estado de Santa Catarina! Sempre que terminava o verão, era comum eu encontrar os amigos absorvidos pelos sofrimentos que sobravam das paixões do veraneio. O sofrimento existia porque nem sempre a paixão do litoral se transformava em amor na serra. Eles sofriam de esquecimentos...

Ser esquecido é sempre muito ruim, concordo. Ser relegado, deixado de lado, provoca marcas dolorosas na alma. Só quem o foi sabe o que digo. Tenho encontrado muitas pessoas que sofrem de insegurança crônica, justamente porque estão mergulhadas em teias de relacionamentos absolutamente impessoais. Hoje estão juntas, mas não sabem se amanhã serão atendidas ao telefone caso queiram ligar, falar, contar alguma coisa.

Você fala em sua carta da beleza de ver as pessoas voltarem aos seus destinos, certas do amor que as esperava. É verdade. Ser esperado é certeza de ser amado. Saber que há alguém preparando a nossa chegada faz-nos acreditar no amor. Recorda-se das palavras do teólogo Jürgen Moltmann? A espera é operante...

Gosto de conferir tudo isso no cotidiano. Meu mundo é comum. Nada de extraordinário acontece por aqui, meu caro amigo. Vejo as mulheres nos pontos de ônibus com suas sacolas plásticas fartas de realidades que desconheço e intuo: a felicidade anda embrulhada de diversos modos. Segue na simplicidade de um litro de leite, ovos que serão preparados ao som bonito de violas tristes, rádio de pilha sobre a geladeira branca, crepitar de chamas em tarde incendiada por motivos breves, mas felizes. O amor acontecendo como pode, onde alguém o consentiu. O amor em sua cena comum, capaz de sobreviver de bordados simples, sem muitos detalhes rebuscados.

Gente como Rachel de Queiroz, que mesmo na escuridão da noite encontra um lampião para iluminar uma página em branco, pronta para ser escrita. Literatos e amantes possuem os mesmos motivos. Não há literatura sem dor. A arte, a verdadeira arte, nasce das ausências do artista. A beleza é o fruto do processo alquímico gestado no interior da alma. O bom artista sobrevive de ausências, pois nelas estão as futuras criações. O mesmo podemos dizer do amor. O amante nunca esgota a criatura amada, porque o esgotamento representaria o término do amor. O amor sobrevive do que sabemos, mas sobretudo do que ainda não sabemos. É a prevalência do mistério, da sacralidade, que nos faz continuar elegendo o outro como lugar e causa de nossa celebração.

Gabriel, é tudo tão instigante, mas ao mesmo tempo tão limitado. Minha palavra é vítima da minha inteligência. Quero dizer, mas não alcanço com minha palavra o que diz meu pensamento. Mas nisso também está o motivo de minha alegria. Não desisto de procurar. Um dia ainda acharei a palavra certa. Um dia encontrarei a explicação do amor que Teresa de Calcutá nutria pelos pobres. Um dia descobrirei os motivos que Deus tem para insistir em conduzir o grafite de minha fragilidade.

Um dia entenderei a poesia de Vinicius. Um dia compreenderei Orfeu, Tristão, Eurídice, Isolda, Macabéa...

Um dia responderei à sua carta.

Um dia, meu caro amigo, um dia...

Mas, antes de terminar, já que falamos tanto em amores e esquecimentos, gostaria de lhe deixar um verso breve, mas de motivo longo. Um verso que parece ter nascido dos mesmos medos que aqui comentamos, e que se desprendeu das mãos do genial Mário Quintana.

É com ele que me despeço.

Se me esqueceres, só uma coisa, esquece-me bem devagarinho.

Com carinho,

Pe. Fábio

quinta carta

“E trancafiamos em algum porão tanto a nossa essência como as lentes de amor que nos fazem compreender o outro além do sorriso ensaiado.”

Querido padre Fábio

Em resposta à sua última brincadeira poética, já lhe adianto, sem pestanejar, que nem devagarinho nem depressa se esquece de uma amizade nascida no fogo demorado das lenhas. Gostei da metáfora que você utilizou para explicar o prolongamento do amor e fiquei divagando pelas antigas conversas nas antigas casas com fogão de lenha. A prosa era o prato principal. Histórias contadas e recontadas por vidas sofridas, mas felizes. Felizes pela vagueza de obrigações decididas por terceiros. Era apenas o tempo ditado pela quentura ou frieza das estações quem decidia. Seria esse o tom do bom selvagem de Rousseau? Talvez isso. Um mundo com piedade no mais nobre sentido que essa palavra possa emprestar. Um mundo com compaixão em que a competição não tem o direito de roubar a delícia da cooperação.

Nossa prosa chegou despretensiosa, amigo. Falamos de um amor comum a um jovem fascinante que revolucionou a própria compreensão do Amor, falamos de Jesus. Falamos de sua capacidade transformadora e das sementes que ele lançou. Falamos de seus milagres e dos milagres cotidianos que pouca gente percebe. Fizemos de nossa aquecida prosa nossa dança. É assim que dizia Mário Quintana:

Não sei dançar.
Minha maneira de dançar é o poema.

O poema que nasce da simplicidade dos amantes das almas e das coisas singelas. É de Quintana esta outra preciosidade:

E a minha poesia é natural e simples como a água bebida na concha da mão.

De preciosidades como você não se esquece, padre Fábio. Amigos são assim. Os verdadeiros. É preciso desconfiar das amizades que surgem fogosas, atabalhoadas; amizades invasivas, dominadoras. É preciso desconfiar também das amizades interesseiras ou daquelas que visam apenas o prazer que podemos proporcionar. Elas nascem mortas e com o tempo agridem pelo odor desagradável que exalam. Amigos são o que são pela leveza da desobrigação do encontro. Esta carta nasce na naturalidade de saber que será lida sem obrigação. E respondida no tempo do aconchego das palavras, da gestação das novas ideias generosas, compartilhadas. É apenas um enlace de pensamentos, de celebrações. Gostamos de celebrar a vida porque acreditamos que não estamos aqui por acaso. Nosso amor não é líquido, meu amigo. Compreendemos Bauman e seu desconforto com a transitoriedade dos sentimentos e relações. Pessoas são descartáveis porque já foram seduzidas e o desafio já se findou. O desejo morreu e com ele a conquista não é mais instigante. A fidelidade se nutre de outro alimento, o do cuidado, da permanência, da reinvenção. Amigos ou amantes têm de reinventar os sentimentos para que eles não se percam nas esquinas da mesmice. E tudo singelo *como a água bebida na concha da mão.* Tudo nutritivo e leve como *a água bebida na concha da mão.* Apenas isso. O resto é cenário.

Na vida buscamos o aconchego das pessoas, todos nós. Não há felicidade sem o calor da lenha. Sem o colo. Mesmo aqueles que têm vergonha de viver e que não revelam os seus sentimentos querem colo. Macabéa de Clarice era assim, monossilábica, murcha, mas grávida de um futuro ou de uma felicidade. Vida triste essa que rouba prematuramente o direito do nascituro. Ela não viu o desejo realizado de ser estrela. Mas que desejo é esse, meu amigo? Ser estrela?

Talvez seja este outro medo contemporâneo: o medo de não dar certo na vida. Verificamos timidamente a glória alheia e lamentamos o nosso tosco fracasso. Mesmo sem entender o que é o fracasso, olhamos lacrimosos ou invejosos dos sem-número de sorrisos na face da vitória que mora no outro quarteirão. Sabemos pouco dos dissabores até porque essa sociedade líquida nos ensina a esconder o que é denso. E a densidade está na dor, na dúvida, na recordação, na essência. Percorremos sem obstáculo as aparências, as dos outros e as nossas. E trancafiamos em algum porão tanto a nossa essência como as lentes de amor que nos fazem compreender o outro além do sorriso ensaiado. Fique claro que não sou contra sorriso, muito pelo contrário. O sorriso enfeita qualquer relação, mesmo as fluidas dos encontros sem razão nas andanças da vida. Nas relações afetivas, aquelas conquistadas, o sorriso tem de ter sua razão de ser. O sorriso treinado é falso. A vida não é uma pose para fotografia. A vida é uma viagem em que a bagagem deve ser proporcional à necessidade do viajante. Penduricalhos enfeiam e pesam sobremaneira e escondem o essencial.

Nos velhos teares, amigo, a tessitura se dava calmamente. As mulheres e seus tricôs, a dança bonita das agulhas e o objetivo maior: enfeitar e aquecer. Gestos singelos que emprestam significado ao mundo.

Na crônica "Eu tomo conta do mundo", Clarice Lispector narra suas ocupações de menina em tomar conta do mundo. Olha pelo terraço e toma conta do mar, das espumas, repara quando estão mais brancas e quando as águas estão mais inquietas. Certifica-se das amendoeiras de sua rua e do menino de uns 10 anos, vestido de trapos, macérrimo. Tem muitas preocupações por ser a responsável por tudo, inclusive pelas guerras, pelos crimes de lesa-corpo, lesa-alma. Pelas formigas e pelas abelhas, e sabe que só com muita paciência é capaz de observar as flores imperceptivelmente se abrindo.

Padre Fábio, é preciso tomar conta do mundo, sim. O mundo está aí e somos responsáveis por ele. Zygmunt Bauman fala dessa sociedade pós-moderna que viu ruir as verdades antropocêntricas. O ser humano achava que suas verdades dariam conta das angústias que frequentaram desde sempre a sala de visitas dos nossos medos. O fato é que elas continuam sem fazer pose de quem está de partida, sem despedidas. Estamos sós nos nossos medos. Amparamo-nos vez ou outra em quem tem paciência. No vai da vida nos escondemos de nós mesmos. O medo do fracasso faz com que desfilemos vitórias e que não assumamos a nossa humanidade. Somos humanos, sim, e frágeis, meu amigo.

Por que então fingir que não precisamos uns dos outros? Não há ninguém que possa atirar uma pedra na pecadora. Jesus sabia disso. E surpreendeu mais uma vez. Não disse o que deveriam fazer, apenas acendeu a lâmpada. Quem não tem pecado, atire a primeira pedra.

A hipocrisia que habita a sociedade dos vitoriosos impede o acolhimento das pessoas sem importância. Define-se quem tem e quem não tem importância pelo dinheiro, pela beleza, pelo poder. E "as amizades" nascem do álcool imediato que queima rápido e de uma única vez. São perfeitos que buscam perfeitos para desfilarem juntos em uma sociedade perfeita.

Padre Fábio, é triste perceber como a frivolidade tomou conta das relações, sejam elas afetivas ou profissionais. Fala-se o que se deve, não o que se sente. Mostra-se o que é mais útil, não o que revela mais os esconderijos bonitos de toda a alma. Não que tenhamos de dizer o que somos o tempo todo para o primeiro ouvinte desprevenido. Não. Mas o problema é que não revelamos sequer a nós mesmos quem somos ou, pior, temos preguiça de procurar em nós mesmos quem somos. E por isso não somos. Não por uma decisão de Deus, mas por uma teimosia humana em aparentar apenas o que agrada. Que necessidade é essa de agradar o tempo todo? As comédias revestem-se de grandezas quando revelam no riso a dor e na dor as quimeras da humanidade. Rimos porque vemos quanto somos gente, e não semideuses. Quanto somos povo, e não príncipes e princesas de contos imaginários. Não há perfeição, meu amigo. Há manias, idiossincrasias, bobagens que colecionamos, mas que fazem parte de nós. Fomos nos construindo paulatinamente e chegamos até aqui. Até aqui, onde? Sem essa pergunta, mesmo que sem resposta, como prosseguir?

Como sofrem aqueles que representam o tempo todo. As máscaras aos poucos vão tomando a forma do rosto e já não se sabe o que é natural e o que é disfarce. Haverá algum momento em que conseguiremos resistir à tentação dos holofotes e iluminaremos a nós mesmos sozinhos, sem medo da monstruosidade da primeira impressão? Sem essas iluminâncias dificilmente saberemos quem somos, e se não soubermos nossa vida será apenas um desfile. E os desfiles terminam. O show acaba e o artista tem de voltar para a sua solidão. E o sucesso, meu amigo, talvez não esteja no aplauso, mas na solidão. É ali, naquele tear, que se verificam as linhas e sua capacidade de surpreender. A solidão voluntária. As reflexões que impedem a incontinência. Como é triste a incontinência, a incapacidade de organizar as reflexões para que as ações não sejam indesejáveis.

Pedir desculpas é nobre, meu amigo, e faz parte da construção das nossas relações. Mas o excesso de ingredientes amargos que lançamos em pessoas que amamos e a dualidade de sentimentos de remorso e raiva e a mesquinhez de sentimentos profundos fazem com que tenhamos de nos desculpar o tempo todo porque assim exigem as convenções. E nos encontros seguintes recomeçam as pachorras, as indecências. Julgamentos impiedosos. Posamos de príncipes e olhamos com desdém a plebe. A plebe que pode ser o filho, ou a mulher, ou o marido, ou o amigo. A plebe que é o outro. E no narcisismo desenfreado apenas julgamos. Não são o que eu sou ou o que eu sonhei que fossem. E a vida virará o tal *inferno* de Sartre, de quem já falamos, ou o *amor líquido* ou a *sociedade líquida*.

Parece mais fácil vencer o medo de não dar certo apontando os erros dos outros do que vasculhando internamente a própria essência. Trata-se de uma desculpa não pensada. Vivemos competindo com os acertos dos outros, tentando superá-los, e com as falhas dos outros, tentando mostrar que não falhamos tanto. É sempre o outro. O seu aplauso ou o seu desprezo. O seu sucesso ou o seu fracasso. É sempre o outro o prato principal. E eu? Onde eu fico? Não se trata, meu amigo, de egocentrismo, mas de identidade. O mesmo Bauman escreveu sobre isso tentando desvendar a identidade humana ou, mais do que isso, instigar as pessoas para que percorram o caminho da própria identidade, para que escolham, de fato, compreendendo as próprias escolhas. Parece mais fácil escolher amparado no outro, desculpando o próprio fracasso por causa do outro. Mas é menos nobre. Menos inteligente. Fracassar faz parte da trajetória. Quedas fortalecem a caminhada desde que se perceba a queda e que se compreenda que ninguém, a não ser eu mesmo, é responsável por ela.

Não sei se me faço claro, meu amigo, mas o que quero dizer é que não é preciso ter desculpas para um namoro que fracassou, um negócio que não deu certo, a postergação do sonho de aprovação em um concurso ou um vestibular. Aliás, chegará o dia em que as avaliações serão mais abrangentes e o vestibular não mais existirá. Essas franjas hão de enfeitar a tessitura da vida se forem percebidas como pausas de uma trajetória, como o recomeçar de uma amizade em que ficou faltando ternura e que por isso a lenha foi se consumindo sem ser substituída.

O amor, padre Fábio. O amor brasa precisa ser realimentado. As amizades que não ficam pelo caminho são aquelas em que, sem invasões, um gosta de cuidar do outro. Perdemos tanto tempo apontando para a pecadora. Tanto tempo com as pedras na mão na iminência de dar cabo ao empreendimento assassino. Talvez para que saiamos por aí dizendo: “Pronto, foi ela, a pecadora, que foi apedrejada; não eu, o homem correto”.

E depois, quando ficarmos a sós conosco mesmos, o que seremos capazes de dizer? Que deu certo o nosso disfarce, que não perceberam as nossas culpas na nossa fragilidade? Vamos inventar um ou outro idioma, como o *javanês* de Lima Barreto, para que todo mundo fique surpreso com o que parecemos saber? E, quando olharmos para o lago imaginário, será que reconheceremos a nossa alma? Ou tentaremos enganar também? Ou fingiremos não ver o visível?

É preciso retirar as máscaras, meu amigo. Ninguém resiste ao disfarce por tanto tempo. É preciso mostrar a fragilidade e aceitar ajuda. É pena que desde criança aprendamos o contrário. Os pais exigem que os filhos sejam campeões em tudo. Projetam nos filhos o que não foram. Mentem narrando episódios novelescos para aumentar a aura de perfeição e santidade. Cobram dos filhos os primeiros lugares, as melhores notas, os posicionamentos mais carismáticos. Enfeiam a vida infantil com exigências e cobranças toscas. Pobre infância sem infância. As brincadeiras ficaram esquecidas nas casas velhas com os seus fogões de lenha. Não tenho nada contra o progresso, tenho contra a aparência hipócrita. Isso porque, meu amigo, embora eu caia e chore muito; embora eu erre e me revolva em erupções cotidianas tentando acalmar as lavas que me incendeiam para que o outro não se assuste com o meu vulcão, tento compreender a minha essência.

Padre, você sabe quanto as dúvidas ocupam meu tempo. Já fiz coisas que não quis por não saber dizer não. Já fiz coisas que quis e das quais me arrependo. Já deixei de fazer o que devia por ter medo de magoar e já fiz o que não devia apenas para agradar. O tempo nos empresta sabedoria se assim o quisermos. Quero essa sabedoria até porque nossas escolhas com sabedoria ganham outro patamar. Não que deixaremos de errar. Mas o erro será bem-vindo porque fará parte de uma compreensão maior. E isso é a essência. As aparências fragilizam-se com o tempo. A essência, não. Heráclito de Éfeso, em sua filosofia cosmocêntrica, utilizou o rio para dizer da inexorabilidade da água e do tempo. O que fazemos não tem volta. *Não se pode banhar duas vezes nas águas de um mesmo rio.* Parmênides de Eléa, em outra direção, queria encontrar a *alethéa*, a verdade, não a opinião. Talvez o desafio não fosse saber que o rio muda a cada instante, mas desvendar o rio, sua essência.

Mudamos, amigo , mudamos o tempo todo. Mas quem somos nós? Quem é você? Quem sou eu? O que fazemos aqui? Por que viajamos juntos nessa jornada? O que podemos emprestar um ao outro? O que podemos ensinar e aprender? Que medos temos? Temos coragem de revelá-los? Se posarmos de príncipes talvez tenhamos pouco a acrescentar um ao outro. Nossa majestade será um obstáculo na amizade. Mas se nos mostrarmos humanos, se retirarmos as máscaras ou as sandálias da sua primeira carta, pisaremos em solo sagrado e contemplaremos a face sagrada da nossa essência. Nossos erros, nossas agruras, não nos fazem menos belos. Ao contrário, dão sopro vital à escultura que fingimos ser.

Um chofer de caminhão conheceu um lugar, uma pensão de uma tal madame, em um conto belíssimo de nossa amiga Lygia Fagundes Telles. Um lugar cheio de anões se enroscando, de comida estranha, de gente estranha. E um som triste de um saxofone se fazia ouvir. O chofer, estranhando a música ininterrupta, quis saber quem era o homem do saxofone. Explicaram que, enquanto a mulher, magra e bonita, nova, se deitava com quantos homens quisesse, ele tocava saxofone. O homem quis saber mais, não conseguiu entender o porquê das traições consentidas:

- E você aceita tudo isso assim quieto? Não reage? Por que não lhe dá uma boa sova, não lhe chuta com mala e tudo no meio da rua? Se fosse comigo, pomba, eu já tinha rachado ela pelo meio! Me desculpe estar me metendo, mas quer dizer que você não faz nada?

- Eu toco saxofone.

E o homem parecia feito de gesso de tão pálido o seu rosto, de tão ausente de atitudes.

Quantos homens do saxofone se escondem por aí. Não homens traídos por suas mulheres, já que o conto pode ser lido de muitas formas. Homens sem atitudes por repetirem fórmulas de sucesso ou por fugirem de responsabilidades mais densas com a própria vida. Jovens com medo do amadurecimento. Filhos que se escondem nos pais, mulheres que se escondem nos maridos, pais que se escondem nos filhos, maridos que se escondem nas mulheres. Amigos que se escondem nos amigos. Vidas mascaradas, querido padre Fábio. Julgadores, temos aos montes. Histórias reais desnudadas voluntariamente, poucas. É o que queria o amigo sem pressa: conviver com gente que não precisasse o tempo todo falar das glórias, mas que se debulhasse em prantos pelas ausências. Pessoas que parassem de tocar o saxofone e conseguissem reagir sem sufocar a alma, apenas acendendo a lareira para que as brasas, cuidadosamente, aquecessem a vida.

O medo do fracasso começa, amigo, jogando fora a beleza do erro. É de Oswald de Andrade o pedido: *Quero a contribuição milionária de todos os erros*. Somos humanos, é isso o que somos, e é isso que nos faz docemente carentes uns dos outros. Somos humanos e crescemos quando aprendemos a viver. E isso será sempre um aprendizado seguido de outro aprendizado. Tudo humano. Cheio das imperfeições e das imprecisões da humanidade. Nada de cenários falsos, perfeitos. Vida, meu amigo, é de vida que precisamos. De mudanças de temperatura, de humor, de cadafalsos, de esparrelas, de cenários verdejantes com algum canário que nos empreste um pouco mais de poesia na travessia. Um canário que seja, ou então um cachorro.

Um dia desses um amigo tentava esconder o choro pela morte de seu cachorro. Mostrei compreensão pela dor da perda. Ele tentava dar as razões da dor dizendo todo o tipo de racionalidades: o cachorro havia sido encontrado na rua, cheio de ferimentos e de doenças, sobreviveu com os cuidados da família e viveu catorze anos com eles. Ganhou um nome, ganhou amigos que se preocupavam com ele. Ocupou de perturbações e de ternura o pequeno apartamento. Eu ouvia o relato e dizia que nenhuma explicação era necessária para que as lágrimas revelassem o afeto por uma criatura da natureza. Quanto mais eu dizia, mais ele chorava dizendo que o cãozinho era a grande prova da gratuidade do amor. Não se preocupava com presentes nem exigia um corpo perfeito ou joias de adorno. Apenas carinho. Que bom, dizia ele, se os seres humanos fossem assim.

Padre Fábio, o ser humano é assim. É que sua essência fica acanhada diante da saliência da aparência. Mostram-nos coisas e nos convencem de que nossa importância será medida por elas. E Quintana queria apenas a simplicidade da *água bebida na concha da mão.* Ou, relendo sua carta, as sacolas das mulheres em pontos de ônibus escondendo e embrulhando felicidades. Concordo com você: não é nada extraordinário, e por isso mesmo é extraordinário. É a vida sem disfarces, em realidades que desconhecemos, mas que imaginamos. Com ternura, por favor.

Querido amigo, que você encontre, sim, outras Macabéas, para que sua missão se engrandeça em cada sonho restituído. Unir, religar, congregar, restaurar, amar, eis o seu lindo ofício.

Que Deus o abençoe,
meu irmão.

Gabriel

sexta carta

“O fracasso só será
definitivo para aqueles
que o compreenderem
como ponto final da obra.
É melhor encará-lo
como reticências... ”

Meu querido amigo

Sua palavra forte e tão cheia de viço não é capaz de esconder o cristal de sua alma. Vitória da fragilidade. Pódio concedido ao perdedor; lugar iluminado para que nele seja colocado o coxo, o naturalmente rejeitado. Sua palavra fez pacto com o direito humano de ser gente, de ser precário, limitado. Nela reconheço o desejo de voltar ao paraíso perdido, de retirar a tarja da vergonha e reivindicar que a história seja contada de outra forma. Que a punição pelo erro cometido não seja a cruel expulsão do espaço delimitado para o encontro, mas que seja uma conversa de pai para filho, capaz de reordenar o sentido das coisas. É bom identificar essa coragem no mundo a partir de você.

No relato de suas fraquezas há um brilho que reconheço evangélico, fruto que certamente foi produzido ao longo de suas experiências de erros e acertos. Os tropeços assumidos costumam gerar essa capacidade de clareza e verdade, porque eles humanizam, fortalecem, enriquecem. Ao contrário dos erros que negamos. Quando não assumidos, perdem a possibilidade de nos indicar novos caminhos, e por isso nos cerceiam, nos fragilizam.

Meu amigo, o reconhecimento da fragilidade requer força. Paradoxal, não é mesmo? Você sabe bem de tudo isso. Sabe porque não é indiferente às fragilidades do mundo. Seu ofício de educador o fez profundo conhecedor dos paradoxos que são próprios da vida. O aluno é o território das contradições, mas isso não é motivo para desestimular o educar - ao contrário. É nesse território de contrários que o mestre desempenhará seu ofício de endireitar os caminhos. É nesse território tão cheio de mistérios, porque é alteridade, que o educador vai partejar a beleza do conhecimento. Aprender é reconstruir, como tão bem nos sugeriu Piaget. E nesse constante processo de reconstrução o erro tem papel fundamental. Não há educação sem a experiência do erro. O reconhecimento do não saber é o primeiro passo para a construção de um conhecimento sólido.

Meu amigo, não sei quem foi que nos desvirtuou assim, para que tivéssemos medo de nossos limites. Desde muito cedo aprendemos a falsear nossos sentimentos. Choros estancados porque não sabíamos ser fracos. Essa lição nos foi omitida. Esqueceram de nos dizer que é bonito saber chorar e que todo soldado, por mais valente e corajoso que seja, sempre terá o direito de chorar e dizer que está com medo. Quiseram nos ensinar o sucesso, mas esqueceram de nos dizer que ele é processual e que as partes que o constituem costumam ser feitas de pequenas derrotas. Mostraram o pódio iluminado, indicaram o primeiro lugar, mas omitiram que, para conquistá-lo, é preciso saber enfrentar o desapontamento de ser o último. Esqueceram de nos dizer que não é nenhum problema a gente reconhecer que não sabe ou que não conseguiu entender.

Recordo que na primeira escola eu tinha muita dificuldade de colocar minhas dúvidas à professora. Tinha medo de dizer que não sabia. Tinha receio de pedir que me explicasse novamente. O medo me calava. Preferia o silêncio infértil, que não me permitia superar os limites. Muitos colegas agiam da mesma forma. Não perguntando a gente construía uma proteção. Mas quais eram os benefícios dessa proteção? Por que nos faltava a coragem de reconhecer o limite que possuíamos naquele momento? Seria tão mais simples se perguntássemos, se nos exercitássemos em mostrar os limites temporários. Afinal, verbalizá-los seria um jeito de começar a superá-los.

Meu amigo, há uma beleza insondável no verbo "entender". Há uma riqueza fascinante sugerida no conceito. Entender é entrar na tenda. É penetrar o significado. Eu o entendo à medida que entro na tenda com você. Eu o compreendo melhor quando faço o exercício de entrar no seu mundo. Entro para ver a coerência de suas verdades. Entro para desvelar os motivos que geram o seu jeito de ser e de agir. Nisso consiste a grande força de Jesus. Ele entrava na tenda daqueles que dele se aproximavam. Fez assim com Pedro, com João, com Zaqueu. Não ficou do lado de fora, no lugar confortável de onde costumamos fazer o julgamento do mundo, mas assumiu o risco de tocar a história que estava diante de seus olhos. Esse entendimento lhe proporcionava autoridade. Ele conhecia o coração de seus amigos. Sabia das possibilidades, mas sabia também dos limites. Gosto de identificar isso em Jesus. Ele encorajava as pessoas a se mostrar em sua verdade mais crua, e por isso não havia motivos para falsidades e hipocrisias. Ele provocava a verdade dos outros, estimulava o contato com a fragilidade, mas de um jeito novo. As estruturas religiosas de seu tempo não abriam espaço para o reconhecimento da precariedade humana como impulso para chegar até Deus. Ao contrário, o precário da vida era motivo de exclusão. Não podiam adentrar o templo os que eram considerados impuros, mas Jesus muda essa regra. Ousa dizer que o médico só tem sentido para quem está doente. Ousa dizer que o templo é o lugar do encontro entre Deus e os miseráveis e que o verdadeiro sacrifício capaz de agradar a Deus é o coração contrito, que reconhece suas misérias. É interessante reconhecer isso. Em Jesus, a religião brota e encontra o ápice na desconcertante revelação de que Deus prefere os rejeitados. É no torto da existência que a religião lança suas raízes. Ele nos sugere que na fragilidade humana está o visgo que nos prende a Deus, pois ela nos aponta nossas ausências. Deus é o preenchimento dessas ausências.

Meu amigo, os amantes sabem disso, mesmo que ninguém os ensine. Sabem porque experimentam na carne a necessidade da criatura amada. Amar é exercício de preencher ausências. Essa condição de seres inacabados nos faz querer que os outros permaneçam ao nosso lado. É tão lindo reconhecer essa necessidade como sustento dos laços humanos. Querer e precisar do outro como construção do sentido de tudo o que somos nos faz rejeitar naturalmente os absurdos do egoísmo e nos encaminha para uma fraternidade frutuosa. Uma mesa cheia de amigos que se amam é a prova concreta do que digo. O que os reúne é a tentativa de preencher as ausências que lhes são próprias. Estamos fragmentados. Experimentamos a existência a partir dessa consciência. Não podemos viver solitários porque o amparo para nossos limites passa constantemente pela experiência que fazemos da misericórdia dos outros. Os amantes se socorrem em seus medos. Amparam, oferecem os ombros, estendem as mãos. O amor é gestual, passa pela materialidade do corpo, mas nela não se esgota. Desdobra-se em presença espiritual e transforma-se em marcas que não se apagam nem mesmo com o tempo. O que fica de mim no gesto que realizo? Onde termina a materialidade do que faço? A mão que seguro na hora da fraqueza, o abraço que ofereço no momento do desespero, a palavra que empresto no instante da solidão. Onde termina tudo isso? Quanto tempo dura no outro a caridade recebida? Eu vivo para descobrir...

A fraqueza é muito sugestiva, meu caro amigo. Ela nos empurra para o que temos de mais sagrado: nossa capacidade de amar. Volto a dizer: os amantes sabem disso. É bonito reconhecer na experiência do amor frutuoso a superação criativa dos limites. Só o amor pode nos libertar dos nossos medos, porque o amor sugere proteção. Nossos medos são muitos. Temos medo da morte, da doença, do abandono, do fracasso, da solidão. Temos medo de não sermos compreendidos, e a resposta talvez esteja aqui. Não estamos acostumados a encontrar misericórdia. Os verdadeiros amantes estão escassos nos dias de hoje. Faltam pessoas que queiram entrar na tenda de nossa vida. Que queiram conhecer a lógica de nossas ações, os motivos de nossas incoerências. Não querem entrar porque não querem se comprometer. É o que Bauman diz sobre a fragilidade dos laços humanos. As sociedades contemporâneas estão cada vez mais indispostas a relações duradouras. A cultura da *fast-food* parece refletir a forma como compreendemos as relações humanas. Tudo é muito farto, rápido e passageiro. Não há tempo para entrar na tenda. O máximo que nos oferecem é uma passada diante da porta. O mesmo acontece conosco. Nem sempre temos disposição de sair de nosso lugar para encontrar o outro e suas fragilidades. É mais fácil simplificar a questão, eliminar, jogar fora aquele que não corresponde às nossas expectativas.

Tenho certeza de que você já presenciou inúmeras vezes essa realidade nas escolas do país. Eu também já presenciei essa postura nas sacristias de minhas igrejas. Gabriel, vejo no processo educacional o mesmo que vejo no processo religioso. Há sempre o risco de que o discurso libertador não alcance a realidade. A palavra que sugere e fomenta a religião é libertadora, humana, misericordiosa, mas a prática nem sempre o é. Ela nos desumaniza justamente no momento em que sugere a perfeição. Ninguém pode ser perfeito. O conceito de perfeição é amórfico porque nos remete a uma realidade etérea. Não sugere caminho possível aos nossos pés, mas realidade distante, inacessível. O conceito de perfeição não sugere movimento, mas realidade pronta, acabada. O mais honesto é falar de santidade, que consiste em lutar para alcançar o aperfeiçoamento da condição humana. Na dinâmica da santidade, a superação dos limites é constante, acontece no cotidiano da vida. Na escola o processo é semelhante. O que dentro do discurso religioso nominamos santidade, no contexto educacional vocês chamam de avanço. Avançar e santificar são movimentos que se dão pelo sopro do mesmo vento. O que não podemos esquecer é que nem a santidade nem o avanço serão possíveis sem a experiência das quedas e dos tropeços. Meu amigo, quiseram nos educar para a coragem e para a santidade, mas esqueceram de nos mostrar a fraqueza como parte integrante da força. Desarticularam as partes do todo, fragmentaram a realidade, quiseram nos entregar o pódio, mas esqueceram de dizer que o pódio só é possível depois do treinamento e que o tempo de treino é o tempo do reconhecimento e da superação dos limites.

Essa desarticulação gera em nós o perigo das idealizações. O ideal, quando dissociado da luta, transforma-se em fator alienante e, por isso, nocivo. A idealização é muito comum nos dias de hoje. As pessoas estão à procura de realidades e pessoas perfeitas. Os encontros são cheios de expectativas e, por isso, não são reais. Ao querer a pessoa ideal, perco a oportunidade de encontrar a pessoa certa. A idealização não comporta defeitos e limites, mas projeta-se em caricaturas revestidas de uma cera frágil que lhes empresta feições perfeitas. No entanto, com o tempo tudo se quebra, tudo se fragmenta, porque a vida não é perfeita. O real da existência é fruto da conjugação de limites e possibilidades. O precário está em tudo o que é criado. É estatuto irrenunciável da condição.

Querido Gabriel, recordo-me de um encontro profundamente enriquecedor que tive com Cecília Almeida Salles, professora de semiótica da Pontifícia Universidade Católica de São Paulo. Ela é especialista em rascunhos de grandes escritores. A ela não interessa a obra pronta, acabada, mas seu processo de feitura. O resultado final não é resultado do acaso, mas abrigou inúmeros caminhos e possibilidades. Saí de lá bastante intrigado com a escolha de Cecília. Depois de ler sua obra *Gesto inacabado*, descobri que temos ofícios muito semelhantes. Eu também trabalho com rascunhos. Na minha condição de padre, estou sempre tendo acesso às tentativas que as pessoas realizam para chegar ao resultado final. Minha matéria-prima é o avesso da vida. As pessoas são interessantes assim. Não são um resultado final, mas a totalidade de um processo. Cecília nos ensina que nos rascunhos das obras há uma infinidade de outras obras. E que o processo artístico é sempre um gesto inacabado, porque nenhuma obra, por mais perfeita que seja, consegue aplacar o processo criativo do artista. A arte nasce das ausências, das dores que o mundo provoca na alma que é sensível. Os rascunhos são testemunhas dessas dores, porque neles estão os caminhos que o artista precisou percorrer para chegar ao resultado da obra.

É interessante, mas os rascunhos sugerem outras obras, justamente porque não estão terminados.

Meu caro amigo, fico pensando nos fracassos como rascunhos. Não são definitivos. São apenas caminhos que sugerem grandes obras. Por isso não precisamos temer o insucesso. O fracasso só será definitivo para aqueles que o compreenderem como ponto final da obra. É melhor encará-lo como reticências...

É assim que compreendo o calvário de Jesus, momento importante para a fé cristã. É um paradoxo. O libertador está preso. O rei está flagelado. O Senhor da Vida está morto. Há em tudo isso uma contradição inegável. E foi justamente nesse paradoxo que ousei colocar minhas esperanças. É desse cenário que eu parto. Minha opção de vida me faz ver de perto os desdobramentos desse calvário e suas discrepâncias. Meu ofício me coloca constantemente diante de pessoas que não sabem o que fazer com seus fracassos. Elas são milhares. Há uma infinidade de sonhos não realizados, projetos abortados, pessoas infelizes, presas ao calvário, acreditando que ele é definitivo. Pessoas tocando saxofone, como no conto tão sensível de Lígia. Ou pessoas como Carolina, a moça que Chico Buarque descreve. Carolina não viu a vida acontecer. Faltou coragem, esperança, atitude de mudança. São muitas as pessoas que estão esquecidas de suas possibilidades. Por isso permanecem mergulhadas numa atmosfera de letargia, provocada por razões diversas. Há outra canção de Chico Buarque de que gosto muito e que se chama "A moça do sonho". Há uma estrofe que diz: "Um lugar deve existir, uma espécie de bazar, onde os sonhos extraviados vão parar". Meu caro amigo, visito constantemente esse bazar, mas confesso que não conheço a sua localidade. Mas de nada valeria conhecer. Isso não impediria o extravio dos sonhos. Isso não resolveria as contradições dos calvários.

O que podemos fazer? O que podemos propor? A pergunta não sugere resposta pronta. Resolver a contradição não é possível. O que podemos é descobrir a criatividade que a contradição nos sugere. É nesse momento que nascem as grandes personalidades. Pessoas que, diante do calvário pessoal, reinventam a vida e, por isso, entram para a história e se transformam em referenciais humanos. Pessoas sofridas são sempre muito interessantes, porque trazem na alma a consequência da contradição.

Gabriel, a cruz, o grande símbolo do cristianismo, é o encontro de dois traços. Um vertical e outro horizontal. Podemos fazer uma leitura muito interessante dessa simbologia. O calvário é o lugar onde dor e esperança se encontram. No extremo da dor é possível enxergar o plantio de alegrias futuras. A vida é dialética, sempre. Força e fraqueza constituem os dois traços da cruz. Ela é congruência de duas linhas. A horizontal nos lembra a condição humana. Fragilidade que não pode ser negada. Grito de dor em tarde ensolarada, quando a população inteira subia as ladeiras da velha Jerusalém para acompanhar de perto o fracasso humano de Jesus. A linha horizontal é metáfora do destino de sofrer na carne a finitude, desdobramento de um processo encarnatório que não foi aparente, mas pleno.

Na linha vertical encontramos a divindade de Jesus. Ela aponta para a transcendência. Brota do chão e se destina ao céu. A morte, destino adâmico que nos foi legado, não será definitiva, porque o Cristo nos oferece um novo caminho. A ressurreição é a nova categoria. A verticalidade de Cristo nos encaminha para a beleza da redenção. Nele estamos elevados, saímos da escravidão adâmica e adentramos a liberdade crística. Mas, veja bem, as duas linhas continuam cruzadas. A experiência humana se desenrola na trama desse encontro. A contradição continua estabelecida, porque a salvação é convite, e não imposição. As duas linhas não se anulam, mas se colocam como possibilidades.

Cristãos ou não, o certo é que todos nós sentimos na carne o embate dessas duas linhas. As religiões, mesmo que estabelecidas a partir de teologias distintas, sempre convergirão para essa antropologia que posiciona o ser humano como limite e possibilidade.

Meu querido irmão, Shakespeare teve uma bonita intuição ao dizer que o ser humano é "essência de vidro". Essa metáfora nos remete à necessidade do cuidado. Quebramos com facilidade. O certo é que, quanto mais estivermos irmanados, mais estaremos fortalecidos. A consciência da fragilidade que nos constitui torna-nos ainda mais necessitados uns dos outros.

Eu também tenho medo de fracassar, medo de não alcançar minha realização. Minha essência de vidro está constantemente ameaçada. E é por isso que não me perco de vista. Quero esgotar ao máximo minhas possibilidades de realização. É o que posso fazer. É um jeito que tenho de me ocupar com a felicidade que me é possível e dizer com a mesma simplicidade com que diz Adélia Prado:

Eu não tenho tempo algum, porque ser feliz me consome!

Meu amigo, que a felicidade o surpreenda sempre, ainda que em medidas menores.

Com meu carinho
e minha bênção,

Pe. Fábio

sétima carta

*“O que é maior: os que
escalam a montanha
ou a montanha? Os barcos
que saem ou o oceano
que os recebe? Somos
todos pequenos, amigo,
e ao mesmo tempo
imensos: é o delicioso
paradoxo do êxodo
e do êxtase.”*

querido irmão

Eu não tenho tempo algum, porque ser feliz me consome - que belo final para uma bela escritura nos rascunhos da prosa em que, com tanta maestria, você descreve a fragilidade e a força. E convida a quem quiser que arrume tempo para entrar na tenda. A justificativa de Adélia Prado é da mais alta maturidade poética. Não se deve perder tempo com os estranhamentos, com os gostos amalucados, com os diz que diz que, que aumentam o que é pequeno ou agigantam o que nem sequer existiu.

Quando perdemos tempo com sentenças promulgadas por quem não de direito ou quando contraímos as sobrancelhas, sobressaltados por medos que nem virão, perdemos uma qualidade raríssima, que é a de ver a poética de dentro da tenda do amor. Gestos simples da mesma Adélia menina, que lembrava:

Uma ocasião, meu pai pintou a casa toda de alaranjado brilhante. Por muito tempo moramos numa casa, como ele mesmo dizia, constantemente amanhecendo.

Damos cor à vida, padre Fábio, incendiamos de fogo nossa existência quando não nos perdemos nos risinhos falsos dos que, por medo, invejam. A experiência da dor que vem da inveja é horrível porque penetra no mundo pantanoso da injustiça. Sofremos por sermos mal compreendidos. Sofremos porque os olhares que nos perseguiram impiedosamente estavam afetados de uma doença cruel e mesquinha que cega as pupilas da verdade. São prematuros os dizeres que desconhecem o essencial. Fofocas, inverdades, crueldades da palavra, armas aparentemente brandas que destroem com vagar, ou ao menos tentam, os nossos sonhos. Deixamos de sonhar com casas *constantemente amanhecendo* para dar lugar a pesadelos. Não temos o poder de dominar o que pensamos. Há muita presença indesejada que habita nossa mente. Mas é assim, querido amigo, a inveja lança flechas e aguarda para contemplar o estrago. É nesses momentos que precisamos buscar forças para prosseguir sem pestanejar. Nada de trégua ao inimigo. A verdade precisa nos acompanhar, mesmo que em um primeiro momento tenhamos de sacrificar o aplauso.

Winston Churchill foi um dos maiores estadistas do século passado. O homem que venceu a guerra e libertou o mundo da crueldade nazista tinha discursos inflamados contra um poder mesquinho, personalista, justificado no preconceito e na prevalência de uma raça. Ele viu seus pares no parlamento inglês aplaudirem Chamberlain, o primeiro-ministro que fez o pacto de não agressão com Hitler, juntamente com a França, para não entrarem em guerra contra a Alemanha. Com isso eles se esquivaram de defender a Tchecoslováquia da fome nazista. Churchill era a voz dissonante de uma Inglaterra que aplaudia cegamente o primeiro-ministro. Ele se lançou em defesa daqueles que não tinham defensores. Ouviu risos no parlamento e declarou: "Riam, mas ouçam-me". Foi assim o final do seu discurso de 8 de agosto de 1939, transmitido de Londres para os EUA:

Podem acreditar, meus amigos americanos, que não é por nenhum ignóbil medo da dor e da morte que os povos britânico e francês rezam pela paz. Não é porque temos dúvidas sobre como terminaria, em última instância, uma guerra entre a Alemanha nazista e o mundo civilizado, que rezamos hoje à noite e todas as noites pela paz. Mas, seja a paz ou a guerra - a paz com iluminada e irrestrita prosperidade, hoje ainda em nosso alcance; ou a guerra com sua carnificina e destruição desmedida -, devemos aspirar compor no futuro algum sistema de relações humanas que venha pôr um fim nesta prolongada e horrível incerteza, que venha deixar as forças criativas e trabalhadoras do mundo continuarem o seu devir e que não mais deixe a vida da humanidade dependente das virtudes, do capricho ou da perversidade de um único homem.

Churchill buscava no cotidiano das famílias, na quietude das suas rotinas, a justificativa para não permitir que forças mesquinhas retirassem o amanhecer de esperanças da Europa e do mundo. Foi invejado, mas não se deixou abater, não titubeou em seus valores e compromissos de estadista. Tinha uma missão que o conduzia em sua tenda de paz. É preciso entrar na tenda, sim, e compreender que o medo tem de ser vencido pela preciosidade da ação que fomenta a emoção quando tem uma grande causa.

A grande causa pode ser a paz da Europa e do mundo, como queria Churchill, ou a paz em uma família, como deve querer cada homem e cada mulher, ou ainda a paz no submundo das nossas emoções.

Padre Fábio, a inveja destrói as relações e cria embaraços desagradáveis. O invejoso é pior do que aquele que cobiça. O invejoso não deseja o que é do outro, deseja apenas que o outro não tenha o que tem, não seja o que é. O invejoso não tem e não é! Não como uma condição essencial, mas como consequência de sua própria negação por desperdiçar tanto tempo e tanta atenção à história alheia. Por que tanto medo de que o outro seja mais visto ou mais aplaudido? O que vale o instante? A cerimônia? O momento? Os aplausos se revezam, o poder é transitório, os holofotes iluminam cenários diferentes. Há espaço para todos, amado amigo, para todos os que se dispõem a trilhar o bom caminho.

Sem querer simplificar esse malfadado sentimento da inveja, arrisco dizer que ele nasce de vidas não vividas ou vidas que, vividas, correm o risco de cessar. Em vez de o corredor entregar o bastão generosamente ao seu sucessor na corrida de revezamento, ele o esconde, faz troça do que vem, desmente o árbitro da competição, que é o próprio tempo. Presenciamos com muita frequência a angústia dos que não permitem repartir o espaço.

Nenhum espaço pertence a ninguém. É por isso que Fernando Pessoa dizia:

A lua brilha inteira em cada lago porque alta vive.

É disso que precisamos, de altivez. De estrelas que se dispam diante de outras estrelas. De gansos que cedam a vez na dianteira das longas viagens para outros gansos. Trata-se de um amor pela humanidade, como diria Hannah Arendt, de quem já falamos. Trata-se de um sonho comum que deve ter um estadista, um político, um médico, um professor, um pedreiro, um padre, um escritor, um tecelão. Teçamos todos essa peça única e múltipla de dar dignidade à natureza humana.

Há medos que nos sondam pelas ruelas envelhecidas dos dizeres malditos, frutos de precipitações, e é por isso que precisamos de um norte. Urge que tenhamos um norte! É isso que faz com que as angústias cotidianas tenham um sentido. Kierkegaard afirmava que o homem se angustiava porque tinha opções de escolher. O instante faz parte dessas escolhas. O instante é uma pequena fração de tempo, mas que pode marcar o resto de nossa vida. Cristo veio ao encontro da humanidade na plenitude dos tempos, ou seja, no instante propício, para que o homem pudesse beber do seu cálice, do seu sacrifício e ao mesmo tempo de sua ressurreição. A dor física de uma humanidade que julga com inveja é resgatada pelo amanhecer de uma ressurreição que tira das tumbas frias e silenciosas a esperança do amor.

Don Juan é a figura sedutora de que Kierkegaard se utiliza para falar de um dos estágios da existência humana, o estágio estético que vem do gosto pelo belo, das sensações apreendidas pelos sentidos. Além do belo, o ser humano tem de conhecer o bom, o universo do que é ético, e conhecer ainda o religioso que supera e agrega ao mesmo tempo os dois outros estágios. Estético, ético e religioso são caminhos que devem ser percorridos por uma vida que busca um significado ou, como já dissemos, um norte.

Volto, amigo, ao sentimento da inveja, um dos chamados pecados capitais. Naturalmente o invejoso sofre mais do que o invejado, que na maior parte das vezes não sabe que incomoda tanto. O invejoso perde grande oportunidade de participar da festa e conviver dentro da sua tenda do amor, amigo, com o que há de melhor no banquete da convivência. Fica na esparrela, enlameado e sufocado. Diz o que não sente porque não se dá ao luxo de sentir. Está sujo demais para conhecer a si mesmo. O invejado sofre as consequências de notícias que chegam da lama e, às vezes, se perde também. Quer entrar na lama para conversar de igual para igual com aquele que o aviltou. Quer brigar na mesma arena inóspita.

Seria bom entrar no estágio religioso de Kierkegaard e contemplar Jesus. Tentar humildemente imitá-lo. Caminhar de mãos dadas com a encarnação do amor. Por mais dolorosa que seja a subida do calvário, não há tempo nem necessidade de devolver as agressões de cada um daqueles que simplesmente não sabiam o que faziam. E só por isso já mereciam o perdão. Seguir adiante mostra ardor pela missão e comiseração pela ignorância. Seguir adiante significa entender o que há no alto e o que há depois do que virá primeiro. É assim mesmo, confuso e simples. Depois da negativa de revanche, depois da proibição da vingança, vem a calmaria da maturidade. Repito, amigo: não é preciso nem agradável entrar na lama. Como as pessoas se perdem quando agridem os agressores! Penso que seja esse o conceito que Cristo queria dar ao sugerir que se oferecesse a outra face ao ofensor. Não se pode perder tempo quando a tenda está armada.

Não quero parecer pessimista, padre Fábio, ao falar tanto de inveja e de lama. De tempos que se perdem enquanto o *alaranjado brilhante* de Adélia enfeita casas sem observadores. Observemos a luz, querido irmão, e permitamos que ela nos conduza. É essa a nossa grande vocação. Cada um de nós é fruto do pensamento amoroso de Deus. Não é assim que está no livro de Isaías? O Senhor troca mil reinos de amor, se necessário, por sua criatura. Cada um de nós é querido, amado e, portanto, necessário. Deus não é indiferente ao sofrimento de seus filhos. É Ele a essência do amor. De um amor que se expressa e se plenifica no êxodo e no êxtase, ou seja, no sair de si e estar no outro. É essa uma alternativa inteligente para que a alteridade vença a inveja, para que os encontros embelezem a travessia. O êxodo é o abandono do que nos oprime e nos corrói, os abraços frios que damos em nós mesmos pelo medo de abraçar e sermos abraçados. O êxodo é a consciência de que a busca de prazer ilimitado, de uma estética sem ética nem ligação com o transcendente, é pobre e indigna da inteligência humana. O êxodo é a partida do que parte, do que separa, do que desmancha. É a negação do que nega a essência da vida, que é justamente o êxtase. O êxtase é o nome elaborado do encontro. O encontro que sugere o cuidado com que você, cuidadosamente, cuida em seus escritos e canções. Cuidar do outro significa abrir mão de verdades assentadas, ou talvez meias verdades, sem a devida precaução. O outro não pode ser o que decidimos que ele seja. O êxtase está na sabedoria como capacidade da descoberta de que estamos errados. Já falamos sobre isso, mas insisto que o êxtase se dá na contemplação da beleza que é a diferença. O diferente me encanta se eu permitir que sua dança me embale. É assim mesmo. Não há por que ter inveja do bailarino que levita; ao contrário, a beleza está na capacidade de entender que aquela trama no ar é a consagração da natureza humana da qual faço parte, ora como artista, ora como espectador. É um revezamento, sim. Cada um de nós sobe ao palco e representa um papel. O que importa é o conjunto. Se o cientista, e não eu, descobrir a cura do câncer, toda a humanidade, inclusive eu, que faço parte dela, sairá beneficiada. Se um amigo meu inventar um método de tratamento odontológico sem dor, mesmo sendo eu um dentista cioso do meu ofício, se tiver o êxtase do encontro com o outro serei capaz de aplaudir o que será bom para a humanidade. Hoje a descoberta foi dele, amanhã talvez seja minha, ou não, o que importa? Por que essa competição? O que é maior: os que escalam a montanha ou a montanha? Os barcos que saem ou o oceano que os recebe? Somos todos pequenos, amigo, e ao mesmo tempo imensos: é o delicioso paradoxo do êxodo e do êxtase. Saímos e encontramos. Sem saída não há encontro. Não há êxtase sem êxodo. E o êxodo conduz inexoravelmente ao êxtase.

A vida é assim reinventada. O dia a dia se colore quando sou capaz de percorrer becos comuns, encontrar pessoas comuns com dilemas comuns e na finitude do instante compreender o eterno. É a antiga metáfora da onda: não importa que ela se acabe na rebentação, o que importa é que o oceano a que ela serve continua imponente, banhando mares que banham mulheres e homens comuns. Comungamos de um esforço de salvação universal quando nos preocupamos com o nosso ofício. Cada um no seu espaço sagrado de ação dá vida ao universo. Emprestamos nossa energia ao outro e recebemos de volta a energia do universo. Francisco de Assis, o santo que abalou a história, explicou em sua oração a atitude do êxodo e do êxtase. Pede ao Senhor que o faça um instrumento de Sua Paz, que leve amor onde o ódio parece ser mais forte, que a alegria vença a tristeza, que a luz vença as trevas e dissipe o que oprime. É no final da sua prece que explica com maestria o sentido do amor.

Ó Mestre, fazei que eu procure mais consolar que ser consolado; compreender que ser compreendido; amar que ser amado. Pois é dando que se recebe; é perdoando que se é perdoado; é morrendo que se vive para a vida eterna!

Francisco de Assis falava do amor e vivia o amor. Sua história é a história da saída do conforto para o desconforto de confortar o outro, é o êxodo do comodismo para a tarefa de acomodação de tantos que precisam ser acomodados. Clara de Assis se transfigura como tantos outros jovens de ontem e de sempre com as loucuras do santo apaixonado. Não foram poucas as provações que teve de enfrentar, as ferinas línguas dos opositores, que viam nele uma ameaça para o poder acomodado de quem apenas olhava os caídos e lamentava, sem muita ação, a inação dos que atravessaram antes. A sociedade dos que excluem encontra justificativa no passado. Sempre foi assim, por que mudar? É preciso mudar, meu amigo, ou mergulharemos todos num abismo desesperançado. Basta de abraços frios e olhares falsos. Cuidemos de nos encontrar verdadeiramente com o sofrimento alheio para compreender o nosso sofrimento. E sem desânimo. Nada justifica o desânimo.

A saga dos pinguins mostra o quanto eles sofrem em viagens para o acasalamento e para o nascimento da nova criatura. Meses de um lado a outro para que o ciclo da natureza se complete. Depois de todo o ritual, por um instante a nova criatura é devorada por uma fera ou destruída pelo gelo. O esforço parece ter sido em vão. Mas não foi. Senão os pinguins deixariam de procriar. Senão a marcha seria interrompida em protesto pelo ciclo da natureza.

Confesso, amigo, que esse sempre foi um tema que me inquietou. Por que no ciclo da vida animais precisam devorar outros animais para sobreviver? Por que os mais fortes eliminam os mais fracos? A violência no reino dos homens eu consigo compreender pela própria noção de liberdade. Somos livres para amar ou para destruir, para construir ou para demolir. Mas e os animais? Seria egoísmo demais imaginar que o ciclo da destruição de um animal pelo outro, mesmo para a sobrevivência, fosse feito para que nós não seguíssemos o mesmo destino, porque, afinal, temos algo além do instinto? Não consigo ver um cabritinho sendo devorado por um leão, mesmo que eu entenda que o leão só faz isso para sobreviver. Por que o leão não sobrevive do ar ou da água, ou de algo que não sofra para morrer? O cabrito chora diante da morte. E sua mãe não tem nada para fazer diante da fera que se aproxima. Não há perversão alguma do leão. Ele não é mau nem bom. Trata-se apenas do ciclo natural, que é assim. O leão não se diverte com a morte da presa. Precisa da presa para sobreviver. Mas e a presa? Por que ela não pode escolher ser forte e lutar contra o leão? Não entendo também a diversão dos caçadores, tampouco a dos que lotam as arenas para ver a morte do touro ou a farra do boi. Dizem que é cultural. Mas a cultura humana já presenciou os gladiadores ou as arenas em que os animais devoravam os seres humanos. Será que Churchill via o império alemão como um leão e os tchecos como cabritos sem defensores? Será que sua indignação estava no fato de que a compaixão tinha sido deixada de lado porque a mortandade estava no quintal alheio? Tanto melhor que Hitler atacasse a Áustria, e não a Inglaterra? Quem sabe assim sua fome passasse. Pensaria dessa forma um cabrito vendo o outro cabrito sendo devorado? Antes ele do que eu? A compaixão é um sentimento apenas do ser humano? E quantos seres humanos há que escondem esse sentimento lindo de se colocar no lugar do outro e sacrificar-se, se necessário, para salvá-lo. Não é esse o exemplo de Cristo? O amor maior que todo e qualquer sacrifício. A vida entregue como compaixão pela humanidade carente de amor.

Postulo por uma cultura sem agressão. Será utopia imaginar um mundo em que o sofrimento seja fruto apenas das ausências e dos encontros, e não das armas e da arrogância dos que detêm a força por meio de um poder nefasto porque não edificante?

Vamos então à utopia, padre Fábio. A utopia da coragem. Os gregos chamavam a coragem de *andrea*. A coragem não era a magia. Embora uma das utopias do ser humano seja o poder mágico, por isso os super-heróis fazem tanto sucesso. Voam, vencem o mal com uma força mágica. Transformam-se em fogo, em água, em aranha, em músculos gigantescos, em velocidades sobre-humanas, ou em elásticos poderosos, ou em seres invisíveis, etc. O super-homem não existe. É obra da imaginação. Não é racional. Apesar de que nem tudo é racional. Seria exagero afirmar que o poder dos afetos nos eleva ao voo imaginário do êxtase? É por isso que Pascal dizia:

O coração tem razões que a própria razão desconhece.

Temos o poder, amigo, de voar pela imensidão dos nossos sentimentos e libertar a nós mesmos das vaguezas de sentidos. Francisco de Assis fez mais do que muitos seres imaginários que demonstram poder quando lutam contra as forças do mal. É essa a utopia possível, a utopia da observação atenta daqueles que entram nas tendas e contemplam *os amanheceres alaranjados*. É por isso, amigo, que tenho esperança. A humanidade é um projeto que deu certo. Tratemos as exceções como exceções. As barbáries são apresentadas com requintes e delongas porque chocam o ser humano comum. Não se pode julgar o todo pela parte, apesar do valor que cada parte tem.

Finalmente, amigo querido, que vençamos o medo de não fazer o que tem de ser feito pela ausência do aplauso ou da compreensão. Com medo das vaias, muitos artistas deixam de subir ao palco. Que pena! Criatividade desperdiçada. Com medo dos olhares invejosos muitos cavalheiros escondem a beleza em armaduras intransponíveis. Pintores e escultores trancafiam ou destroem suas obras. Artesãos queimam o que a madeira generosamente cedeu para ser transformado. Não, não há por que renegar a humanidade, a contemplação da criação humana. E em todo ser vivente, pensante, mora uma arte que dá unicidade à sua ação. Foi assim com Francisco de Assis. É assim com quem tem a disposição de sair da caverna, como queria Platão, e enfrentar as feras e as tempestades para simplesmente viver.

Obrigado, amigo, por essas correspondências que dão margem aos nossos encontros afetivos, à nossa casa, *constantemente amanhecendo.* É isso, para mim, a sua amizade: a metáfora da novidade constante, da partilha sem inveja, da jornada embalada pelo mesmo valor do Amor Maior.

Gabriel

oitava carta

"A dor que dói no outro
é uma janela de onde
eu me enxergo. É como
se por um instante
fosse quebrada
a nossa capacidade
de diferenciação."

Meu querido Gabriel

Sua carta veio colorir de alaranjado as paredes de minha alma. Estou amanhecendo. Digo isso porque estava enfrentando os desafios de uma noite escura. Os frutos da inveja foram jogados no meu quintal. Esbarrei no ciúme de pessoas que aparentemente eram amigas. Senti na carne o aguilhão da palavra mentirosa, instrumento de calúnia.

Meu amigo, a experiência humana é sempre desafiadora. Trabalho com os bastidores da humanidade. Vejo e escuto o que as pessoas não costumam revelar. Tenho encontrado muitas pessoas que sofrem terrivelmente as consequências de palavras descomprometidas com a verdade. Fico assustado com os predadores que nos rondam. É nesse momento que redescubro meu ofício de pintar paredes. A metáfora que a poesia de Adélia Prado sugere é muito interessante. É por meio da palavra que bendiz que podemos acender as luzes que nos ajudam a amanhecer. Viver amanhecendo é aprendizado que não posso perder de vista. Não podemos estender no tempo a duração da noite...

Meu ofício tem suas bases na palavra que bem-aventura. É por meio dela que experimento a possibilidade de restaurar o que foi danificado pelos ataques das palavras malditas. Cresce cada vez mais dentro de mim essa convicção. A palavra bendita é naturalmente redentora porque reorienta a consciência, restaura, faz voltar ao início.

Meu amigo, há palavras que pesam terrivelmente sobre nós. São violentas, pesadas. Quando mal-intencionadas, atentam contra a sacralidade da dignidade humana. Você falou de maneira tão simples e bonita de sua indignação com o sofrimento dos animais que nascem para serem vítimas. Eu também não compreendo a lógica que rege o mundo animal, onde as espécies mais fracas são devoradas pelas mais fortes. Mas confesso que minha indignação é ainda maior quando vejo as regras dos selvagens sendo aplicadas entre nós. Somos homens e mulheres portadores de capacidade cognitiva, capazes de atribuir sentido à realidade, mas nem sempre conseguimos. Movidos por razões estranhas, nós nos transformamos em predadores vorazes.

Gabriel, fico muito assustado com as múltiplas faces da agressividade humana. Uma delas é a inveja. Como você mesmo disse, a inveja é ainda pior que a cobiça. O invejoso não suporta o sucesso alheio e, por isso, vive para negá-lo. Recordo-me de um grande aprendizado que tive com você, por ocasião de uma palestra ministrada na faculdade onde eu era professor. Você dizia que é muito mais fácil suportar o sofrimento alheio do que a alegria. Você tem razão. Nossa alegria só é suportável para as pessoas que verdadeiramente nos amam.

Costumamos dizer que reconhecemos os grandes amigos no momento de nosso sofrimento, mas não é verdade. Os verdadeiros amigos são aqueles que suportam a duração de nossa alegria. O sofrimento é uma realidade que nos congrega com mais profundidade. Schopenhauer dizia que o sofrimento do outro nos acorda para a verdade de nossa condição. Somos frágeis. E, ao encontrar o outro mergulhado em sua dor, é natural que brote dentro de nós a compaixão. Esse sentimento ocorre até mesmo quando estamos diante de nossos inimigos. Ao deparar com a dor alheia, de alguma forma descubro a totalidade do meu ser. É como se eu ouvisse a confissão desconcertante: “Tu és isso!”. A dor que dói no outro é uma janela de onde eu me enxergo. É como se por um instante fosse quebrada a nossa capacidade de diferenciação. O outro sou eu. Não posso vê-lo sofrer sem nele identificar minha inegável condição de fragilidade.

Meu amigo, a solidariedade com os que sofrem parece ser um movimento natural para a condição humana, mas a solidariedade com os que se alegram ainda está distante de ser natural para muitos de nós. As grandes guerras costumam nascer dessa incapacidade. Diante da prosperidade alheia, as nações se mobilizam para o conflito. A concorrência global e a busca constante dos mercados internacionais parecem legitimar essas lutas. Não estamos falando de lutas armadas, assumidas, mas posturas políticas que têm o único objetivo de desbancar os concorrentes. O sucesso do outro precisa ser aplacado, pois ele representa perigo.

Gabriel, o contexto religioso não está fora disso tudo, e você sabe muito bem. Vejo pessoas empunhando seus livros santos, capazes de atitudes desumanas, justamente porque querem defender seus interesses em nome de Deus. É como se houvesse um retorno ao tribalismo, estado humano em que as pessoas não sabiam conviver com a diferença, porque não conseguiam enxergar além do território onde se abrigavam. O espírito tribal é naturalmente guerreiro, pois evoca a luta por território. O que move o tribalismo é o desejo de eliminar a tribo diferente, a que se alimenta de outras tradições. As sociedades tribais foram evoluindo à medida que aprenderam a estender as mãos. Foram crescendo à medida que começaram a bonita experiência das trocas, quando abriram as portas de seus territórios para que os diferentes pudessem chegar. Somente quando as tribos se compreenderam em sua diversidade é que as civilizações puderam nascer.

O mesmo se deu com a filosofia. Foi na ágora, a praça grega onde eram feitas as trocas, que descobrimos a riqueza que está na partilha do conhecimento. Os antigos conceitos eram repensados a partir da apresentação de novas ideias. Aprendemos a quebrar paradigmas. A quebra impulsiona o movimento da história e a evolução da humanidade. Foi assim que pudemos crescer. Foi assim que pudemos superar antigos modos de vida social e assumir posturas cada vez mais humanas e solidárias. Não acredito que na ordem de hoje seja possível o nascimento de um novo Hitler. A humanidade evoluiu. Estamos num contexto cada vez mais crítico. A era dos grandes ditadores está terminando, e isso precisamos festejar...

Mas, meu amigo, permita-me manifestar minha inquietação. Não são raras as ocasiões em que concluo que as lições da ágora estão esquecidas. Em meio a tanta consciência iluminada, naturalmente voltada para a necessidade de impulsionar ainda mais o processo da evolução humana, encontramos homens e mulheres legitimando no tempo e na história a força da mesquinharia que nos faz retroceder. Confesso que eu também sofro de involução. Nem sempre minhas convicções se desdobram em atitudes práticas e concretas. Vejo passar oportunidades preciosas, que por causa de minhas intolerâncias e mesquinharias o mundo deixa de evoluir.

Querido Gabriel, há momentos em que os primórdios das civilizações costumam ser retomados, através de nós, a partir de atitudes que reconheço tribais. É sobre isso que você escreveu em sua última carta. De alguma forma, você abordou a involução, quando, pela força de uma atitude desumana, toda a humanidade parece retornar ao ponto inicial, ao lugar do não saber, ao território da ignorância, a mãe de tantos erros. Esse retorno nos amedronta...

Michel Foucault fez uma leitura muito interessante desse retorno. Ao fazer uma análise das grandes estruturas sociais como instrumentos de vigilância e de poder, ele nos abriu os olhos para que descobríssemos que a ordem estabelecida nem sempre é sinônimo de segurança. A organicidade não é garantia de segurança, porque corre o risco de ser construída e mantida a partir de princípios filosóficos que não estão comprometidos com a bondade. Michel Foucault nos faz intuir que a prevalência de muitas instituições só foi possível porque elas retomaram os princípios tribais. O tribalismo foi revestido de humanidade, mas não deixou de ser cruel e avassalador. Recordo-me de um filme muito interessante a que assisti há alguns anos. *A vila*, do diretor indiano M. Night Shyamalan, conta a história de um povoado cercado por uma floresta e grandes muros. As pessoas se mantinham isoladas naquele lugar porque acreditavam na lenda de que o território era assombrado e todos aqueles que tentaram fugir foram brutalmente assassinados pelas divindades que viviam na floresta. Certo dia a farsa foi descoberta. A vila nada mais era que um lugar construído por algumas pessoas mais velhas que ali moravam. Desejosas de resguardar seus filhos das pretensas maldições que outros vilarejos poderiam oferecer, aqueles homens e mulheres cometeram um mal ainda maior. Educaram os filhos para o medo. Quiseram protegê-los dos inimigos. Revestiram de bondade e boa intenção uma atitude tribal.

Meu querido amigo, há tantas vilas construídas entre nós. Há tantas realidades, aparentemente boas, minadas por um espírito tribal e desumano. Precisamos ter coragem de retirar o revestimento. Quem sabe assim a gente possa aprender a lidar com a verdade. Quem sabe assim a gente esqueça o medo e redescubra a beleza que há na coragem!

Gabriel, um exemplo desse revestimento é a religião. Tenho visto e sentido na pele o poder destruidor de uma religião mal aplicada. Igrejas que se levantam entre si, desejosas de prevalecer como verdade absoluta, caminho único para a conquista de um céu futuro. A verdade dogmática instrumentalizada como escudo, interpretada e utilizada como arma para destruir os que não a reconhecem. Vejo a consequência da absurda redução escatológica em conflitos sangrentos. O que alimenta a guerrilha é o motivo religioso de jovens soldados. Movidos por uma esperança escatológica que não tem comprometimento histórico, eles se matam e morrem em nome de Deus. O desprezo pela vida terrena é justificado pela promessa das delícias futuras, eternas...

Igrejas e movimentos religiosos estabelecidos a partir da filosofia da "vila". Discursos que segregam porque são construídos a partir da convicção de "povo eleito". A eleição compreendida como direito de jogar fora o que pensa diferente, o que não reza na mesma escadaria, o que não comunga do mesmo cálice ou o que não acende a mesma vela. A religião como instrumento de culpa, acusação, vigilância e punição, em vez de instrumento que ensina o caminho do arrependimento, da misericórdia, da tolerância e da liberdade.

Mas seria esse o verdadeiro papel da religião? Criar intolerância? Estender o livro santo e apresentá-lo como justificativa para as atitudes que demonstram nossa desumanidade? É honesto fechar as portas de minha casa ao que não comunga das minhas esperanças religiosas? Não há um fator definitivo, superior e universal que possa preponderar sobre todas essas diferenças? Será que ainda estamos tão distantes do cumprimento da promessa do profeta Isaías, de que haveria de chegar o dia em que lobo e cordeiro poderiam comer no mesmo prato? Uma coisa é certa: a dogmatização das crenças humanas tem sido empecilho para o encontro com a diferença. O mais urgente no mundo é a solidariedade que o encontro pode proporcionar. É através dela que concretizaremos a profecia...

Retomo sua questão aparentemente infantil, porque simples demais. O que faz a vítima ser vítima? Quem definiu esse postulado que nos coloca como criaturas em estágios tão diversos de evolução? Por que a fúria de um leão é aplicada como princípio a ser imitado? Por que a docilidade de um cordeiro é demonstrada como fraqueza a ser rechaçada?

Veja bem: o cristianismo se equilibra sobre essa interessante contradição. O Cristo exerce o papel de vítima. As expressões litúrgico-teológicas nos recordam essa condição. Ele é o cordeiro santo. A força redentora não nos chega pela agressividade dos vencedores, mas pela atitude resignada do aparentemente vencido. É possível resolver essa contradição? Não creio. O desconcerto diante dessa escolha de Deus é inevitável para os ufanistas religiosos. Essa compreensão teológica também precisou evoluir. É Jesus quem nos traz essa novidade, e por isso um recuo histórico pode nos ajudar a compreender melhor.

Meu amigo, o Antigo Testamento está repleto de passagens que retratam o sagrado como realidade tremenda, vingativa, amedrontadora. São construções literárias que nascem de um contexto tribal, no qual Deus é o guardião que protege os limites do território contra a invasão dos inimigos. A representação iconográfica de Deus passa o tempo todo pela imagem do soldado heroico, revestido de armaduras, empunhando espadas mortais. A ira é o fator que prevalece nos sentimentos de Deus. Está constantemente irritado com a conduta humana e só se compadece mediante sacrifícios e holocaustos. Veja bem que em tudo isso há uma prevalência da violência como fator religioso.

Meu querido amigo, o Novo Testamento não é a supressão do velho, mas proposta de seu aperfeiçoamento. Você falou de Jesus como plenitude da Revelação. A teologia cristã faz uma leitura belíssima dessa plenitude como aperfeiçoamento. A grande mudança que Jesus propõe à estrutura religiosa de seu tempo está diretamente ligada à superação da mentalidade tribal. Deus não pode ser interpretado como fator e motivo de lutas e exclusões. Ao contrário, Deus é pai e quer acolher todos ao redor de sua mesa. Jesus retira a espada da imagem construída. Desfaz o campo de batalha e monta a mesa para o banquete. Essa transição conceitual é determinante para os fundamentos do cristianismo. O banquete é o centro do rito cristão. Não se trata de uma festa preparada para os eleitos e puros, como queriam os antigos paradigmas religiosos, mas uma festa preparada para os miseráveis. O motivo da celebração é a restituição da dignidade. Exemplo disso é a história que Jesus contou sobre o filho que resolveu antecipar a herança e ir embora. O retorno é o motivo da comemoração, pois é a possibilidade que o pai tem de voltar a ser pai, e o filho de voltar a ser filho. É a festa da restituição.

O filho maltrapilho não precisou explicar os motivos do retorno. No abraço morreu todo o mal cometido. Não houve tempo para perguntas porque o amor é atitude que dispensa explicações.

Gabriel, o amor é uma realidade redentora. A redenção é a proposta fundamental de todas as religiões. Redimir é elevar. Consiste em retirar o outro da condição desfavorável e oferecer-lhe lugar de dignidade. No rito cristão, banquete eucarístico é metáfora desse alcance. A mesa posta é o ponto onde as realidades humanas e divinas se encontram para que a redenção aconteça. A proposta é que haja a prevalência de diferenças. O motivo da comemoração é de todos. Estamos todos voltando para casa depois de longa e prolongada demora. A saudade nos faz voltar. Queremos voltar a ser gente, já que ao longo do processo é natural que nos distanciemos da dignidade. A mesa posta nos reaproxima, encurta as distâncias, possibilita os olhares.

Meu amigo, sonho com o dia em que o banquete seja para todos. Mesmo que tenhamos pregações e doutrinas diferentes. Mesmo que alguns não tenham doutrina alguma. A mesa deveria ser o lugar dessa partilha. Há um fato comum a todos: estamos com fome! Fome de amor, de segurança, de beleza, de verdade. É desejo comum de todos os homens e mulheres que a vida seja mais leve, mais bonita, mais harmoniosa, mas nem sempre há o primeiro passo. As reações são diversas. Algumas pessoas preferem se esconder em suas frágeis fortalezas, em suas vilas, em seus banquetes particulares, santificados. Outras já preferem a varanda, a mesa posta, a porta aberta. Essas são as promotoras da mudança que esperamos. Na varanda há sempre um espaço reservado aos forasteiros, aos descrentes, aos que estão com medo, aos que estão cansados...

Eu costumo entrar sempre que encontro a mesa posta na varanda...

Entro para conhecer o autor do gesto. Entro porque sei que se trata de pessoa rara, necessária, fundamental para a evolução da humanidade.

Meu querido, foi por isso que me tornei seu amigo. Em sua casa há sempre uma varanda para quem passa...

Sempre que posso, eu entro!

Obrigado por me ajudar a evoluir.

Com meu carinho,

Pe. Fábio

Nona carta

"E quem ama se surpreende quando é amado, porque não cobra nem espera recompensa. É esse o segredo do altruísmo, que vence a vaidade da idade, que vai e conquista a temperança da essência que fica."

querido padre Fábio

Você chegou à minha varanda, mas não chegou sozinho. Sua carta atesta que sua trajetória é a de um guerreiro. Não no sentido tribal de que você trata. Claro que houve e há tribos mais evoluídas que nós, chamados civilizados. Entendo o seu sentido e compreendo a angústia pelo fundamentalismo radical, tão perigoso nos dias atuais. Você é um guerreiro da nova aliança. Um guerreiro que não teme os olhares pérfidos dos que permitem que as emoções precárias vençam as emoções altruístas. Deixe-me fazer entender. Por emoções precárias, entendo as emoções que involuntariamente surgem e não se revestem de alteridade, não encontram sentido na relação com o outro. São emoções pouco nobres, mas não há como não tê-las.

Emoções toscas como a inveja ou a avareza, o ódio ou a arrogância, surgem da mesma forma que surge o desejo. O desejo de se esconder do frio ou do calor, o desejo de comer ou de beber, comuns aos animais. Desejos e emoções precárias surgem sem que se possa controlá-los. A grande questão, entretanto, não é a emoção precária ou o desejo, mas o que se faz com a emoção precária ou com o desejo. Não me parece possível que alguém decida nunca mais sentir raiva, medo ou tristeza. Como não é possível viver sem sentir frio ou calor. Eles surgem como viajantes inesperados. E o que fazemos com eles? Aí entram as emoções altruístas. Se há amor, serei incapaz de comer tudo o que há sobre a mesa sem pensar no outro, embora o meu desejo seja matar a fome. Se há compaixão, respeito, saberei harmonizar os apetites que me levam a brincar com a história alheia. O desejo é o de rir, mas o outro não é uma coisa cuja finalidade precípua é me distrair. A inveja também exemplifica esse enredo. O outro, tão jovem, conseguiu o que eu, no entardecer da vida, ainda não consegui. Não há como voltar no tempo, mas precariamente nasce em mim uma emoção de destruir a conquista alheia. E permito que minha boca se preste a esse desserviço. O amor é capaz de peneirar essa sujeira de alma. A resposta inadequada do outro, ou o seu gracejo vulgar, ou ainda a injustiça com que fez ou disse coisas, podem até despertar em mim a emoção precária da raiva. Mas o amor é capaz de amenizar e jogar luz na escuridão dos meus instintos.

Padre amigo, educar os filhos para o medo é um desrespeito à natureza humana. Volto ao mito da caverna de Platão. O filósofo dos ombros largos narrava a história de pessoas que viviam acorrentadas no fundo de uma caverna, pessoas de pensamentos curtos. De costas para a entrada, eram incapazes de saber o que havia fora da caverna, até porque, como no filme *A Vila*, citado em sua carta, nem imaginavam que algo pudesse existir que não fosse aquela caverna. Um dia, alguém consegue ver o que havia fora. Consegue romper os grilhões da escravidão e sair daquele pequeno mundo. De início, a luz incomoda. A luz, aliás, incomoda qualquer um que não esteja acostumado com a sua força reveladora. O que sai volta cheio de alteridade, disposto a mostrar a novidade aos seus pares; a falar de um mundo novo ou de uma forma nova de ver o mundo. Há beleza no discurso e verdade nas intenções. Tudo colabora para um desfecho bonito, mas o que se vê é o oposto. Vários sentimentos tomam conta dos prisioneiros da caverna. Têm medo, inveja, ódio, desconfiança. A precariedade das emoções faz com que destruam, matem o irmão que ousou conhecer o desconhecido. Sua pregação era nova demais para a compreensão deles. Faltou o amor para peneirar as emoções primárias e transformá-las em emoções altruístas.

Quanta gente mora nessas cavernas do obscurantismo. E é disso que você fala ao desfraldar sua noite prolongada. Quem sai da caverna tem de saber que nunca mais será o mesmo, e que isso poderá provocar a fúria dos que não querem sequer romper as correntes, quanto mais olhar para a luz ou caminhar em sua direção. São coxos que andam e cegos que veem. Que pena. A semente está lá, mas não floresce!

Na sua carta você fala da inveja, mas fala da mesa da comunhão. E sonha como Isaías com o dia em que o lobo e o cordeiro possam cear juntos. Sonha com uma fome de amor que não permita fechar as portas por julgamentos sumários. O rito tem de ser outro. É o tempo e a disposição para o outro que retiram de mim a carcaça da ignorância ou a síndrome do pequeno poder de que falava Michel Foucault. O poder de usar a transitoriedade de algum cargo ou função para pisar nos sonhos alheios. Alguém da caverna de Platão usou do poder para determinar a morte do diferente. Você, amigo, é um padre diferente, como tantos outros padres diferentes. Cada um com seu carisma, cada um com seu talento. Por que não ser um médico diferente como Patch Adams? Ele sofreu preconceito por quebrar tabus, acreditando que o amor é um instrumento de cura tão ou mais poderoso que os antibióticos. Por que não ser um professor diferente como a personagem de John Keating, vivido pelo mesmo Robin Williams de *Patch Adams*, no filme *Sociedade dos Poetas Mortos*? O professor era capaz de fascinar os seus alunos e despertar a inveja e o ódio de seus pares apenas por apregoar o *Carpe diem*. É crime ensinar alunos a aproveitar o hoje, a vida plena? É crime educar com ternura?

Aproveite sua vida, amigo. Você é um instrumento de Deus cheio de bênçãos para convidar outros viajantes a frequentar a varanda da celebração. Sem portas nem obstáculos. Sem execuções sumárias. Lugar propício para que os diferentes possam conviver. Ora, mas diferentes são todos! Não há iguais. O Arquiteto do mundo é criativo demais para repetir a obra. Não há duas pessoas iguais no mundo, por isso não é possível ser um padre, ou um médico, ou um professor igual ao outro. Até nas imperfeições somos diferentes. E é isso que nos surpreende e nos ensina ao mesmo tempo.

Padre Fábio, o tempo urge. José de Alencar, em uma crônica de fim de ano, dizia:

O tempo corre, passam-se os dias, e o ano vai rapidamente chegando a seu termo; mais algumas semanas e ele cairá na eternidade como um grão de areia na ampulheta das horas.

E é assim em todos os lugares e para todos os viventes. O tempo passa nas avenidas barulhentas das grandes cidades e na respiração preguiçosa do amante do campo diante do hálito perfumado das flores. Não há concessões.

Dia desses encontrei uma amiga envolta em pensamentos ruidosos. Perturbada pela idade, falava compulsivamente sobre a injustiça do envelhecimento. Tanto tempo já tinha se passado e tanta coisa ainda faltava a ser feita. Não haveria tempo, certamente não haveria tempo, repetia angustiada.

Lembrei-me de Charles Aznavour e da canção eternizada por ele, "Hier Encore". A música fala de ontem, quando ele tinha apenas 20 anos e acariciava o tempo e brincava de viver. Os seus projetos ficaram no ar, e as esperanças bateram asas. Desperdiçava a juventude acreditando que tinha o poder de fazer o tempo parar. A palavra "eu" precedia qualquer conversação. E o pior é que os amores morreram todos antes de existir.

Padre Fábio, o medo do envelhecimento é visível na batalha insana que se trava contra o amanhã. Não que uma vida saudável que prolongue a trajetória seja danosa, nem que os cuidados com o corpo signifiquem emoções precárias. O que perturba é o exagero. 50 anos não são 20 anos. Cada idade tem a sua beleza. Os seios de uma mulher aos 50 anos não têm o frescor dos da mulher aos 20, mas ela tem histórias que as de 20 não têm. Os padrões arbitrários de beleza desmerecem a estética da diversidade. Voltemos às diferenças. Quem determina o belo e o feio? Quem tem esse poder? Quem é a mulher mais linda do mundo ou o homem mais belo? Que artigo definido é esse? A mais linda, o mais belo? E em que idade? A idade do entardecer é tão bela quanto a idade do amanhecer. Os seios caídos que amamentaram são tão belos quanto os que saem da gruta nascitura em busca de vida. David Hume afirmava que

> *a beleza não é uma qualidade própria das coisas; ela existe apenas no espírito que as contempla, e cada espírito percebe uma beleza diferente.*

Pode-se dizer que tanto a beleza como a feiura surgem na imaginação, e ambas são influenciadas pelas paixões circunstanciais. Os gostos mudam com o tempo. A provisoriedade do padrão arbitrário é o melhor argumento para destruí-lo.

O medo do envelhecer está ligado à noção de finitude. Na canção de Aznavour, os 20 anos já se findaram, e se findaram para sempre. Foram, de certa forma, arrogantes, só falavam em primeira pessoa e viviam um desconforto egoico amenizado pela certeza errada de que nunca perderiam o que tinham. Perderam. *O Retrato de Dorian Gray*, do genial Oscar Wilde, é obra de ficção. Ninguém segura o tempo. Os 20 anos passaram, e a ideia de perenidade se tornou efêmera. Nunca mais o pentacampeão olímpico de natação conseguirá igualar o seu próprio feito porque a sua idade agora é outra. Nunca mais o tetracampeão de futebol poderá defender a sua seleção amada porque os anos competitivos naquele esporte já se findaram. Nunca mais a mesma velocidade, ou a mesma força, ou o mesmo apetite de ontem. Os 20 anos já se passaram. E o que resta então? Resta vida. Independentemente do tempo que falta, há vida.

Outra amiga me confidenciou, animada, do alto dos seus 90 anos, que comprara um apartamento novo. Imediatamente eu quis saber quando seria a mudança, e ela sorriu, decidida, dizendo que demoraria algum tempo porque ia reformar com vagar o seu novo lar. E sem pressa, concluiu. Lúcida, muito mais do que tantos que perdem tempo com medo de não terem tempo. Ora, o que importa é viver. Viver preocupada e despreocupadamente. Isso mesmo, nesse paradoxo. Viver o instante sabendo que ele pode ser surpreendente. E não ter medo de mudar em qualquer idade. Mudar de lar ou de opinião. Mudar de gosto. Wittgenstein mudou radicalmente quando, à beira do suicídio, contemplando o horror da guerra, entrou em uma livraria e encontrou um livro de Tolstói, *Breve Explicação do Evangelho*. Comprou-o porque não havia outro livro na loja. Em poucos dias, transformou-se em um cristão convicto; ele que combatia como Saulo, que depois virou Paulo, a ingenuidade dos cristãos. Saulo combatia com a espada, Wittgenstein com a palavra, não menos afiada nem menos cortante. O livro de Tolstói serviu como a visão e a queda do cavalo de Saulo na estrada de Damasco. A partir desse encontro, Paulo pregou o evangelho e Wittgenstein acrescentou a oração à sua filosofia. Para ele, rezar era refletir sobre o significado da vida.

Querido amigo, precisamos dar significado à vida para que o medo da velhice não nos aterrorize. Volto às emoções precárias. O medo da velhice vai chegar a algum momento para cada um de nós. Na minha modesta opinião, não há como trancar a porta. Ele virá quando menos se espera. Minha amiga, que falava compulsivamente sobre a velhice, não tinha sequer 50 anos. Mas o medo chegou. E agora, Maria? Parafraseando Drummond. E agora? O que se faz com esse medo de envelhecer? Lamentar o tempo que se foi e temer o que há de viver, ou viver sem pressa, reformando o novo lar? Não quero parecer ingênuo, mas não podemos fazer concessões a essas emoções precárias. Que venham, já que virão. Mas que nos encontrem dispostos a dar significado aos nossos encontros nas varandas que se abrem para aqueles que não temem a novidade do encontro e do recomeço. O livro de Tolstói está aí, solitário em alguma livraria, no meio de tantas guerras que travamos com as nossas emoções precárias.

Clarice Lispector, de quem já falamos, confessou certa feita que havia nascido para três coisas:

Nasci para amar os outros, nasci para escrever e nasci para criar meus filhos.

E continuou:

As três coisas são tão importantes que minha vida é curta para tanto. Tenho que me apressar, o tempo urge. Não posso perder um minuto do tempo que faz minha vida. Amar os outros é a única salvação individual que conheço: ninguém estará perdido se der amor e às vezes receber amor em troca.

Amigo, quero repetir essa última oração: *ninguém estará perdido se der amor e às vezes receber amor em troca.* Eis o segredo. Dar amor. Clarice continua o texto falando da experiência de escrever e afirmando ser a palavra o seu domínio sobre o mundo, apesar da experiência penosa e feliz que faz com que, em cada escritura, tudo seja como da primeira vez. Quanto aos filhos, os dois, ela conta que quis ser mãe apesar de saber que um dia os filhos abririam as asas para o voo necessário e ela ficaria sozinha. É esse o destino das mães. Esclarece assim que, por mais nobre que seja a maternidade, chega o dia em que os filhos precisam mais deles mesmos do que da mulher que os gerou. E também, quanto ao belo ofício de escrever, pode ser que um dia o escritor tenha a consciência de que já escreveu o seu lote nesse mundo e que deve aprender a parar. O que resta, então? E ela sobejamente exalta o amor:

Ao passo que amar eu posso até a hora de morrer. Amar não acaba. É como se o mundo estivesse à minha espera. E eu vou ao encontro do que me espera.

Padre Fábio, não podemos permitir que as emoções precárias roubem de nós o que nós somos. Reguemos com cuidado para não agredir o jardim que nos enfeita. Não importa o tempo de sua existência. O que importa é a sua finalidade. O jardim está ali para dar leveza ao cenário, mesmo que muitas vezes não seja notado. Na exposição ou no anonimato há uma reforma a ser feita em cada idade, para que o nosso lar ampliado receba os viandantes. É preciso dar boniteza à travessia.

Contra a inveja, o acolhimento. Contra a arrogância, a simplicidade.

São casas simples, com cadeiras na calçada. E na fachada escrito em cima, que é um lar - poetizou Chico Buarque. E na canção dele, como na sua carta, também tem varanda. E tem flores simples e baldias.

Amigo querido, venha sempre que quiser ou puder frequentar a varanda que você ajudou a construir. Os amigos são assim. Constroem com a gente o que é da gente, e por isso têm o direito e o dever de usufruir. E há retribuição, mesmo que diferente, porque o amor não se repete. E quem ama se surpreende quando é amado, porque não cobra nem espera recompensa. É esse o segredo do altruísmo, que vence a vaidade da idade que vai e conquista a temperança da essência que fica. O tempo é como o rio que inexoravelmente ruma ao mar. E o rio às vezes frequenta cenários deslumbrantes e não pode parar, nem assim, para contemplá-los melhor; outras vezes penetra em paragens desconcertantes, incomodativas, e tem de percorrê-las sem o poder da pressa. É o curso. É o tempo. Penoso e feliz. Desconhecido. O dia é uma página em branco que escrevemos. E o outro dia haverá de vir com a mesma fome de palavras, de atitudes. O medo não pode nos roubar a tinta.

A vida segue o seu rumo. Qual a melhor idade? Talvez aquela que vença o medo de ter qualquer idade. E, se não vencê-lo, que tenha a coragem de enfrentá-lo com esperança. A esperança reacende a chama do compromisso com o outro. É o outro, com suas imperfeições e estranhamentos, que reanima a minha existência. Meu ofício de escritor é meu instrumento de vida. As palavras que, tímidas ou decididas, pululam nascem de uma gestação continuada. Parir ideias, personagens, enredos é parir emoções. E nessa arte, a arte de partilhar com o leitor minha sina de crente incorrigível da natureza humana, não há concessões. É assim que enxergo o magistério. E também o sacerdócio. E ainda a maternidade ou a paternidade. E por que não a amizade? A amizade é uma confissão de amor solene no altar do sacrifício transformado em vida nova. O seu sacerdócio, amigo, é uma amizade partilhada aos que estão na mesa ou aos que ainda nem sabem que existe mesa. É também uma amizade aos que o incomodam porque se incomodam com você. Para criticá-lo, ouvem os seus dizeres e se embalam com suas canções. Quem sabe seja você, para eles, o livro de Tolstói convidando a uma experiência de amor ou, então, um tempo novo, em que os lares sejam reformados porque não poderá haver separação nem entre o lobo e o cordeiro, nem entre a pessoa humana e a pessoa humana. A convivência necessária é a grande prova de que temos de aprender a amar, senão os elos que nos prendem à eternidade se enfraquecem. Não há outro caminho, amigo, senão o amor. E é com amor que me despeço, aguardando sua nova lição.

Gabriel

Décima carta

"O grande poder que o medo da morte exerce sobre nós parece estar diretamente ligado ao sentimento de absurdo e vacuidade que experimentamos."

Meu querido Gabriel

Cá estou eu, mergulhado em meu destino de envelhecer. Olho para dentro de mim, e o que encontro é a vida segredada, disfarçada de acontecimento. Cesto farto de experiências múltiplas. Vejo páginas em branco à espera de enredos, rascunhos que reconheço vergonhosos, coisas que gostaria de omitir. Vejo princípios, vejo finalizações. Tudo amolgado num canto da consciência, e que suas palavras vieram despertar.

O medo de envelhecer está em todos nós. Tememos os limites do tempo porque eles nos revelam que um dia vamos morrer. A notícia nos chega é na carne, quando, pela força do movimento dos dias, nos encaminhamos para o inevitável destino final a que todos teremos que chegar. A velhice evidencia nossa desmaterialização. É tão lindo, mas é também tão trágico. A vida vai se despedindo aos poucos.

Meu amigo, o medo da morte é uma sombra que nos acompanha. Cada um reage como pode. Clarice Lispector resolveu lidar de forma criativa com a sombra. Decidiu amar. A proposta não se limita à poesia, mas extrapola e atinge a vida da escritora. É bem provável que ela tenha se ocupado do amor até seus últimos momentos. Amar é um exercício que não cessa, porque evoca o que temos de mais genuíno. Clarice sabia disso. Escreveu histórias, construiu personagens, inventou enredos. Fez do ofício de escritora um pacto generoso com a vida.

Florbela Espanca é uma poetisa que não conseguiu o mesmo feito. Aos 7 anos, a menina portuguesa escreve seu primeiro poema, "A vida e a morte". Nascida num contexto complicado, Florbela desde cedo demonstrou sua incapacidade de nutrir esperanças. A complexidade de sua alma não parece ter encontrado o sentido que a fizesse suportar a vida. Escreveu bonito sobre a busca da poesia. "Quem me dera encontrar o verso puro, o verso altivo e forte, estranho e duro, que dissesse a chorar isto que sinto!" Florbela não parece ter encontrado. Em 2 de dezembro de 1930, registrou em seu diário estas últimas palavras: "... e não haver gestos novos nem palavras novas". No dia 8 do mesmo mês, dia do seu aniversário, ingeriu dois frascos de Veronal e morreu.

Meu amigo, a história dessa mulher sempre me aguçou os sentidos. A beleza de seus escritos resguarda uma tristeza imensa, como se os motivos dos sofrimentos do mundo nela estivessem todos condensados. Não encontrando gestos novos nem palavras novas, ela resolveu antecipar o que ao longo de sua vida foi a causa de seus medos: a morte. Estranho, não é mesmo? A falta de novidades a empurrou para os braços da realidade temida.

Diante da vida, cada um reage como pode. Sua amiga resolveu comprar e reformar o apartamento, mesmo estando em idade avançada. Muito interessante isso. Como você bem disse, o projeto não é mudar simplesmente. É muito mais que um deslocamento geográfico. O projeto é cultivar esperanças. É ocupar o corpo e a mente com preparos. A mobília programada, as paredes projetadas, os objetos de decoração, tudo parece compor um mosaico que não é material. Coisas que à alma pertencem e que só os sábios conseguem enxergar.

Interessante. Ultimamente tenho encontrado pessoas que não se fixam ao seu lugar. Projetam, criam, modificam, inovam e depois querem partir. Não nasceram para as realidades definitivas, porque enxergam nelas a aceitação da morte. Vivem em deslocamentos. Estão sempre abertas às novidades e nunca dizem que não vão se adaptar. Por um lado, pode parecer falta de comprometimento com a realidade, mas por outro não. Pode ser que seja apenas o desejo de manter por mais tempo a força da juventude.

Acho muito bonita a história da salvação do povo de Israel. A revelação de Deus está sempre a serviço do deslocamento do povo. Todos os grandes momentos dessa história foram marcados pela necessidade de partir. A palavra de Deus sempre fazia com que o receptor arrumasse as malas... A missão não poderia ser cumprida no aconchego do lar, mas no lugar incerto a ser descoberto, nas terras distantes que a voz prometia e que o impulso da vontade os fazia vislumbrar. Assim foi com Abraão, com Moisés. Todos eles precisaram rumar ao desconhecido.

A experiência do povo foi fortemente marcada pelos êxodos constantes, como se Deus quisesse mostrar que o mais importante na vida não é chegar, mas manter-se em constante processo de busca. A metáfora da terra diz muito mais respeito ao contexto da identidade que ao da geografia. O grande objetivo da promessa era manter viva a identidade do povo. A palavra profética estava a serviço dessa identidade. O povo precisava ser ele mesmo até nos limites do território da escravidão. A missão de Moisés era antes de tudo recordar. No Egito, os cantos entoados à sombra das árvores eram cantos de saudade. O lamento era o fogo que continuava acendendo o pavio da esperança.

Ao chorar os direitos perdidos, o povo redescobria o sentido de estar vivo. A cítara entoava o poema triste que recordava as delícias do paraíso perdido. Os salmos eram canções que lembravam os antepassados. Por meio deles, o povo recordava a trama heroica dos que já estavam mortos e, num desejo bonito de lhes fazer justiça, buscava manter viva a chama da identidade. Mesmo estando presos às correntes egípcias, os israelitas não poderiam se render ao poder opressor da morte.

As correntes prendiam os corpos, mas não podiam prender os sonhos. Não alcançavam o mais profundo da alma, lá onde a vida é livre, é solta, é impulso criativo. Por isso eles eram privados de seus ritos. Os escravizadores sabiam que o culto que envolve o corpo repercute na alma. A dança dos corpos era também a dança do espírito. A memória que o rito celebrava era elemento condutor de esperanças. A fogueira acesa não terminava na última brasa fumegante, mas continuava no crepitar da luz que a alma carregava.

Mesmo no silêncio dos trabalhos forçados, a palavra que os movia era a palavra profética. A terra prometida representava para eles o mesmo que o apartamento a ser reformado representava para sua amiga: um motivo para não morrer.

Victor Frankl, o grande fundador da logoterapia, deu nome a esse motivo. Ao viver a experiência do confinamento em um campo de concentração nazista, ele descobriu que o extremo do sofrimento humano só é suportável a partir da experiência do sentido. "Se você tem um porquê, então poderá suportar todos os comos", dizia o mestre austríaco, com sabedoria. O ser humano precisa ter ainda que seja uma flor na janela, como elo. O vínculo com a flor, a consciência do laço estabelecido, é uma amostra do que ele chamava de sentido. Saber que a flor precisa do nosso cuidado já é suficiente para que possamos descobrir um motivo para continuarmos vivos. Somente a partir do sentido é que podemos driblar a morte. É ele que nos faz esquecer a sombra.

Meu amigo, a psicologia de Frankl é profundamente libertadora porque nasceu da experiência direta, assim como nasce a poesia. Mesmo estando mergulhado no absurdo do confinamento, sujeito ao aguilhão de desesperanças e desilusões, ele resolveu "ser e existir". Movido por esse desejo, elegia no que tinha, ou no que podia, a condição de sentido. Fez de tudo para não perder a liga com o tempo, o visgo que lhe permitia adormecer embalado por esperanças de novos dias.

Gabriel, o grande poder que o medo da morte exerce sobre nós parece estar diretamente ligado ao sentimento de absurdo e vacuidade que experimentamos. A falta de sentido nos empurra constantemente para esse sentimento avassalador. Diante do vazio, a morte se agiganta, torna-se ainda mais impiedosa, dominadora, determinante. Privados de sentido, experimentamos o que Frankl chamou de "neurose noogênica", nome estranho que explica bem uma realidade muito comum nos dias de hoje.

Meu amigo, a grande descoberta de Victor Frankl contribuiu imensamente para a evolução de alguns aspectos da psicanálise. Segundo Freud, o ser humano, quando submetido a privações extremas, se revela em sua real natureza, mostrando-se com as mesmas características de um bicho. Para o pai da teoria psicanalítica, as privações retiram os invólucros que a espiritualidade coloca sobre o ser humano, tornando-o livre para ser quem verdadeiramente é. Interessante, mas Frankl não precisou de muito esforço teórico para demonstrar o contrário. Foi na experiência concreta dos campos de concentração que ele viu homens e mulheres comuns se transformarem em heróis memoráveis, capazes de atitudes generosas e totalmente desinteressadas, unicamente voltadas para o desejo de fazer o que era certo. O que Frankl viu foi a natureza humana trazendo à tona sua capacidade de autotranscendência, superando os limites mesquinhos de seus interesses. Natureza capaz de sacrifícios, desde que estejamos comprometidos, atados a uma promessa de felicidade maior, e sejamos capazes de estabelecer uma justificação moral da existência.

Meu amigo, essa descoberta de Frankl é importantíssima no tratamento dos medos contemporâneos. Ao considerar o limite como mola propulsora para o nascimento do sentido, essa abordagem devolve à sociedade o direito de ser espiritual. Uma terapia que considere as coisas do espírito é de fundamental importância na superação dos medos. A materialização das questões não resolve nossos conflitos. O materialismo e sua tentativa de suprir todas as necessidades humanas já chegaram ao extremo de sua inaptidão. Estamos com medo de viver, medo de envelhecer, medo de morrer. Estamos com medo de nós mesmos e de tudo o que nos é próprio. Tememos nossas questões, nossos conflitos, porque sobre eles não estamos muito dispostos a pensar. Queremos as soluções práticas, mas não queremos passar pelo duro processo que pode fomentá-las.

Talvez seja por isso que tantas pessoas preferem escrever o verso final, como o fez Florbela Espanca. Distantes de gestos novos e ausentes de palavras novas, na tentativa tresloucada de se agarrar a alguma esperança, as pessoas encontram esconderijo em realidades fugazes, transitórias. Mas não são capazes de preenchê-las de sentido. Apenas entorpecem por um tempo cuja duração não sabemos precisar. E assim vivem, envelhecem e morrem. Morrem antes do tempo, antes da hora.

Gabriel, a morte prevalece toda vez que perdemos as esperanças. O vazio, a falta de sentido, apressa ainda mais os efeitos da finitude em nossa vida. Encontro jovens com tão pouca idade, mas tão envelhecidos. O rosto sem rugas não consegue esconder as rugas da alma. A morte os alcançou antes da hora. São vítimas dos vícios socializados e dos proibidos. Trazem na carne a dependência química que os torna menores que uma pequena quantidade de cocaína. Quilos de carne, ossos e sangue pensando menos que alguns gramas de substância ilícita. Não alcançaram o sentido, não viram a flor na janela, nem sonharam mudar para algum lugar do mundo...

O contrário também é verdadeiro. Encontro homens e mulheres acumulados de idade, mas cheios de disposição para enfrentar a vida. Brilho nos olhos, destreza na alma, que nem sempre encontra a mesma destreza no corpo. Pessoas que se despedem da noite já desejosas de receber o amanhecer. Gente que encontrou o sentido, o bom da vida e não permitiu que os limites do tempo se transformassem num obstáculo intransponível.

Meu querido amigo, a urgência é descobrir o vaso de flor, o apartamento a ser reformado, a terra prometida a ser conquistada. E, mesmo que haja tristezas pelo caminho, o sentido há de prevalecer. Talvez tenha sido esse o sentimento que impulsionou os versos de Drummond no poema “Mãos dadas”: “Estou preso à vida e olho meus companheiros. Estão taciturnos, mas nutrem grandes esperanças”. “Preso à vida” é uma expressão que parece sugerir sentido. O poeta não se desprende de sua realidade. A experiência que tem do mundo é direta e sem rodeios. Mas a dureza da realidade não lhe castra as expectativas. O mesmo acontece com seus amigos. Drummond não os coloca numa aura de felicidade, fruto e resultado de uma promessa já atingida. Ele os reconhece tristes, mas esperançosos, porque presos a um sentido que os dispõe para a vida.

O poeta conhece bem o poder criativo da tristeza. Sabe que é nela que as grandes esperanças são gestadas. O canto triste dos israelitas não era sinônimo de derrota. Era entoado para que a saudade pudesse reacender nos corações acorrentados o sonho de liberdade. Quando bem vivida e compreendida, a tristeza é serva da esperança. A ela presta o ofício de abrir caminhos, fendas, pequenas frestas. É a partir dela que podemos redescobrir o desejo de dar novos rumos aos fatos, aos sentimentos e até mesmo às nossas escolhas. Um estado de tristeza pode ser lugar propício para o início de novos tempos. A alegria faz ficar. A tristeza faz partir. O que você prefere, meu amigo?

A segurança do lugar conquistado ou a aventura do desconhecido que o espera? O que é mais saudável nessa hora, ficar ou partir?

Confesso que não sei. Divido-me constantemente nesse difícil horizonte de escolha. É meu destino humano, e dele não fujo. Ora triste, ora feliz, vou cumprindo a sina de ser como o poeta, mas em pequenas medidas. A poesia que quero ainda não me pertence. É minha terra prometida. Sobrevive em algum lugar deste mundo, escondida nas cavernas em que ainda não entrei. Estou em êxodo. Por vezes atravesso mares, venço montanhas, mas por vezes sou vergonhosamente vencido por motivos mesquinhos, pequenos. É minha contradição. É meu estatuto.

O que não posso é me desprender do sentido. Aprendi que vale a pena viver assim. Sentindo, sentindo, e assim construindo o sentido. É minha herança. É minha condição. O preço que pago? Ninguém precisa saber. Contabilizo prejuízos imensos, mas que encaro com alegria, meu querido irmão.

Já perdi muito nesta vida, e não sei se tenho disposição para perder ainda mais. Fico aqui, esperando o que virá, com a cara cheia de susto. Olhos arregalados, coração batendo na boca, encantado com a vida, assustado com a morte.

Fico aqui. Quando posso, vou. Mas, quando não vou, dou um jeito de aprender a ficar. Eu me agarro às esperanças. Elas são muitas. Elas são tantas! Estão por todos os lados, mas costumam estar adormecidas. O segredo é gritar por elas. A esperança tem sono leve.

Com meu carinho,

Pe. Fábio

Décima primeira carta

"Sofremos por nós mesmos e pelos outros. Sofremos pelas intransigências de nossas emoções precárias e porque nos deixamos atingir por outros, caducos dos mesmos problemas."

Querido padre Fábio

Ficar ou partir? Deixar-se escravizar ou lutar pela liberdade a qualquer custo? Ir em busca da terra prometida ou se conformar com a ração medida que nos dão aqueles que nos cerceiam o sonho? O povo de Deus teve saudade do Egito quando experimentou a liberdade no deserto.

Irmão, parece-me que a liberdade é ao mesmo tempo um dom e uma conquista. Dom que nasce cristalino como uma cachoeira abundante e ao mesmo tempo temerária. Entrar dá medo, a temperatura é congelante. Ficar é covardia. É desperdício. Já falamos sobre liberdade, mas nunca é demais. Liberdade é mais do que escolha. É possibilidade de usar a razão. É aspiração. Mesmo que seja o cuidado com a flor que está sob a janela dos seus sentimentos. Apenas uma flor, e a vida ganha sentido.

Você fala dos jovens, amigo. Fala dos jovens com rugas na alma. Etienne de La Boétie, escritor francês renascentista, discutia as razões que levavam à servidão e, mais do que isso, à servidão voluntária. Convivendo com uma França absolutista, o jovem escritor queria entender o que levava alguém a deixar de lado a preciosidade da liberdade para se permitir viver trancafiado em grilhões. Quem nasceu para a liberdade e a amizade não pode ser servo de nada nem de ninguém. A vocação humana é a da bondade, não a da opressão interpessoal nem inter-relacional. Não podemos nem devemos escravizar o outro, nem a nós mesmos. Livres, teremos mais razões para respeitar a liberdade alheia. La Boétie antecipa o pensamento de Rousseau, que se mostra indignado com a resignação da bondade humana frente a uma sociedade que alicia e destrói a nossa melhor poção: a poção da fraternidade.

Deixamos de ser fraternos, padre, quando permitimos que a avareza roube de nós a generosidade. Aristóteles, em sua memorável *Ética a Nicômaco*, insistia com seu filho que, dos vícios, o mais avassalador era o da avareza. As pessoas mesquinhas representam um perigo para elas mesmas e para os outros. Trancafiam-se nos porões do que aquinhoaram e repelem qualquer possibilidade da partilha. Infelizes porque não experimentam a ventura leve do amor, que se entrega sem medo nem economias. Envelhecem com rugas murchas, feias, pesadas. Rugas diferentes daquelas que o tempo esculpe com cuidado em quem tem história e cuja história dá identidade à essência humana. Uma história só merece aplauso se for uma história de amor. E quem julga se há amor ou não é a centelha divina que nos ilumina e a que damos o nome de consciência.

Você fala de Freud, que também teve uma vida consumida por emoções precárias. De humor instável, não cuidou dos filhos, brigou com os amigos, irritou-se com os críticos. Teve uma infância pobre. O pai, comerciante de lãs, faliu logo depois do seu nascimento. Freud e os sete irmãos sofreram as privações de uma família grande, sem posses. Sua contribuição foi inegável para o conhecimento da psique humana. O inconsciente, ou id, recheado de apetites saudáveis ou não: desejo sexual, confiança, medo, ódio, agressividade, paixão, etc. O superego, com valores, ideais, ética, aprendizagem moldada pela educação. E o ego, com a difícil tarefa de harmonizar esses dois gigantes. A consciência serve como bússola para indicar que o ego está sendo bem conduzido pelo superego. Quando a consciência fica sufocada, o indício é da vitória do id. O id é um universo incalculável de impressões que são depositadas em nós e que não conseguimos apreender pela razão. Desde o início da gestação, passando pelos três primeiros anos de vida - em que não temos peneiras para cercear os traumas que se derramam sobre nós -, até o que entra devagarzinho enquanto nos ocupamos de outras coisas.

Freud desistiu de viver. Doente terminal, não suportou o que ainda poderia vir. Quatro de suas cinco irmãs foram presas e mortas em campos de concentração.

Querido padre, quanta coisa poderíamos falar da teoria de Freud ou de sua vida. Seus medos. Seus receios. Sua dor. A obra não necessariamente retrata o artista. Ora a obra é genial, perfeita, e o artista macambúzio, capenga de sentimentos, ou o contrário: a generosidade de tantos não fica registrada por ausência da desenvoltura de talento, pela falta de tempo ou, ainda, pela carência de oportunidade. Volto à avareza. Quantos são os que dizem levezas com profundidade, acalentam o difícil ofício do viver com arte e, na proximidade, assustam pela mesquinhez que corrompe e aniquila os afetos. Já convivi com gente assim. Já me estranhei diante do paradoxo do dizer e do viver. E já sofri com isso. Minha natureza, talvez errada, é do afastamento. Prefiro partir a conviver com a hipocrisia. Prefiro ver de longe a frequentar os bastidores da avareza humana. Não sei se isso é o correto. Às vezes volto e tento semear poções de amor, jogo-me numa empreitada de acreditar que o outro pode se livrar de suas sujeiras e emergir limpo para o convívio saudável. E, depois de dizer, me calo. Surpreendo-me, desistindo de novo. Concluo que só muda quem quer. Não há ninguém que tenha o poder de transformar aquilo a que se nega. Sei, amigo, que também tenho minhas imperfeições. E são tantas e tão incômodas! Mas longe de mim a avareza, a mesquinharia. Desfraldo com prontidão a bandeira da generosidade; é ela que me aproxima do ser humano.

Lembro-me de um homem atordoado com a dor do pai, vítima de derrame, carente de atenção e de cuidados, às voltas com a avidez por dinheiro da mulher, que não admitia gastar nada com o ancião. O homem não sabia o que fazer. O problema não era o dinheiro, isso eles tinham. O problema era a avarenta mulher que julgava ser um desperdício gastar com quem já estava com o passaporte da partida carimbado. De que adianta o excesso de dinheiro se a ausência de bons sentimentos escraviza? O marido tentava compreender a mulher dizendo que ela teve uma infância muito difícil, carente de tudo, e que agora valorizava mais do que o necessário a fortuna da família. E eu tentava entender a paciência dele diante da rispidez da esposa. E o pai aguardava o desenlace da trama para ver se seria cuidado ou abandonado. Parece-me óbvio que em alguns momentos não há o que discutir. É uma questão de dignidade, de bom senso. E é tão comum o apego vencer o bom senso. Quantos casos há de famílias que se destroem por causa de herança. A partilha se torna um pesadelo. Uma viúva com cinco filhos assistiu, logo depois do sepultamento do marido, ao diálogo aparentemente carinhoso dos filhos preocupados em retirá-la imediatamente da mansão. Não havia por que viver em um espaço amplo de saudades e lembranças. E o comprador já falava do dinheiro que lucrariam. Expulsam a mãe por algum dinheiro. Entorpecem de sentimentos toscos em busca de alguma vantagem. Eu realmente não consigo entender.

Freud não pode ser julgado por não ser um pai carinhoso, nem por ter dado fim à própria vida. Como Florbela Espanca. Quem sabe as razões? Rousseau, que tanto propalou a bondade natural, também não foi um exemplo de pai. De perto, fica mais difícil conviver. No palco, a maquiagem esconde as imperfeições da face. Na tela, também. Há muito de retoque na imagem impecável do artista. Imagem. Maquiagem. Quem somos nós, amigo? O que nos esconde? O que nos domina? O id está aí desafiando a consciência. Quem há de vencer? Volto à escravidão. Tão escravos quanto aqueles jovens que desistem da esperança por acreditar que em substâncias psicoativas exista alguma saída. São aqueles que não encontram a saída da vida porque avarentos trancaram as portas. Há vida lá fora. Mas e a disposição para vivê-la? O id comanda quando tememos a nós mesmos e ao nosso silêncio, que revela quanto enfeamos a nossa humanidade. E aí brigamos. E culpamos o outro. E culpamos o mundo.

Amigo, o envelhecimento precisa trazer sabedoria. É essa a lição de Shakespeare em *Rei Lear*. O soberano, cheio de vaidade, não percebeu o amor sincero da filha mais nova. E repartiu o reino com aquelas interesseiras cuja maquiagem escondia a imagem. As filhas encheram o pai de elogios e receberam cada qual uma parte do seu reino. A sincera, a sem maquiagem, ficou sem nada. E é ela que, inglória, volta para tentar salvar o pai. A filha mais nova não disse o que o pai gostaria de ouvir. Por que expulsamos do nosso convívio os que dizem a verdade? Nada de maquiagem, amigo. Ou somos capazes de resistir à sincera amizade, ou viveremos alimentados por aduladores inescrupulosos que, ao primeiro soar de miséria, partirão em busca de outros vaidosos desavisados. Na trama de Shakespeare, o bobo da corte, diante do rei destronado, pergunta e lamenta por que o soberano ficou velho sem antes ficar sábio. É preciso cuidado para não nos perdemos nesse emaranhado de dizeres que gostaríamos de ouvir e de dizeres que deveríamos ouvir. La Boétie queria que os jovens do seu tempo rompessem os grilhões da escravidão e experimentassem o frescor da liberdade. Os grilhões hodiernos são os grilhões da escravidão da avareza, da vaidade, do ódio e do medo. Grilhões da incompaixão. Tosco vício de olhar apenas para o espelho. Narcísica opção que nos leva ao abandono de quem nos olha com esperança.

Não sei se tenho medo do envelhecimento. Acho que sim. Não sei se o meu medo é o do amanhã, quando meu corpo não terá o mesmo vigor de hoje, ou da dependência, vítima de uma saúde debilitada. Não tenho medo da morte. Pode ser que um dia venha a ter. Hoje não tenho. Tenho medo da doença, da dor. Muito medo. Até me envergonho disso. Qualquer doença me faz um menino assustado. Sempre acho que o que tenho é mais sério do que de fato é. Fico nu, sem pelagem alguma diante da dor. Da mais simples. Antevejo com angústia que, quando algo mais sério vier, eu não terei forças para resistir. Fico impressionado com alguns doentes terminais que encontrei pela vida e com a serenidade de suas atitudes. Diagnósticos atestavam alguns meses ou algumas semanas de vida, e mesmo assim o desejo era o de viver, e, a cada dia, davam o seu tempero, sem olhar para o amanhã. A morte virá. Que venha. São os corajosos, padre, que eu admiro. Eu tenho medo até de injeção. Não gosto de ver sangue. Não me sinto bem quando alguém conta alguma história de dor. Às vezes me pego lamentando minha fragilidade diante da doença. Não queria ser assim. Não sei se pelo fato de ter visto meu irmão morrer naquele acidente, a cabeça aberta ao meu lado, meus braços sem movimento. Eu, ali, vendo a dor chamar a morte e sem poder algum para estancar o sangue ou a partida prematura. Eu não sei, padre Fábio, porque não me curei ainda dessa fenda aguda que me penetrou sem convite.

Dia desses encontrei uma mulher envolvida nos cuidados de um único filho com câncer. O menino de 4 anos de idade lutava bravamente pela vida sem ter muita consciência da gravidade do problema. Em meio a histórias encantadas, a mãe acalentava o filho. Depois que ele dormia, algum desabafo. A dor saía em lágrimas silenciosas para não incomodar. O olhar sorvia esperança. Ela era sozinha nos cuidados do rebento. O marido já tinha partido e já vivia a vida, acompanhado de outra. Sem preocupações nem atenções para com o filho enfermo. Ela confidenciou que o abandono se deu alguns meses depois que descobriram a doença. No início, o pai se fez presente, depois desculpou-se, culpando a paixão. A nova namorada não gostava de vê-lo envolvido em hospitais e em tristezas. Queria curtir o conquistado. E na mãe zelosa não havia espaço para ressentimentos. Ela dizia-me sem apelos que cada um é de um jeito e o que importa agora é dar felicidade ao filho. De repente, a criança acorda e vê a mãe. Sorri. O rostinho redondo, ampliado pela ausência de cabelo. As mãos unidas embaixo do rosto. Tudo é cenário de paz. O menino vê a mãe e adormece confiante, sorrindo. Em seus sonhos, decerto não há dor nem medo.

Eu não sei, padre, o que vai acontecer com esse menino. Fui perguntar aos médicos, as respostas foram evasivas. O caso é sério, mas há exceções, disse-me um deles. É preciso ter fé, disse outro.

Eu tenho fé. Eu não sei por que conheci essa mulher. Eu tinha apenas ido ao hospital para uma palestra, e ela veio com um livro meu, pedindo que eu o autografasse para o filho. Nem me falou em doença. Não sei por que perguntei do filho, e ela rapidamente disse que ele estava em tratamento. Foi rápida para não me incomodar nem atrapalhar as outras pessoas que estavam na fila. Eu quis saber mais. E depois fui visitar a criança sem que ela me pedisse. E aí conversamos.

Há outras histórias assim que nos comovem, amigo. E nos servem de exemplo. Essa mãe coragem não se deixou levar pela dor da partida de um marido, no mínimo, estranho. Como Adélia Prado, sua felicidade a consumia, e ela não tinha tempo para pensar em abandonos. São mulheres e homens surpreendentes que nos fazem recuperar a esperança, como diz a canção brilhantemente interpretada por Maria Bethânia:

E o mundo vai ver uma flor
Brotar do impossível chão.

Amigo, a chama da esperança não pode se apagar quando nos deparamos com os mesquinhos. Talvez eles precisem de amparo e de exemplos. Talvez o tempo seja um bom aliado para que os horizontes se ampliem. De outra parte, há tantos que se transformam para acolher e cuidar sem medo dos que não se sentem amados. Os amigos são imprescindíveis para aliviar a dor. Dor doída a que ainda não chegou, mas que antecipa em nós o amanhã que imaginamos nebuloso. Perdemos tempo com isso. Antecipamos o imprevisível e deixamos de contemplar o visível: o que está aqui, perto, real. A delicadeza com que tratamos qualquer pessoa sensibiliza os nossos sentimentos internos e nos aproxima de nossa essência. Eu não acredito na maldade essencial, senão não seria educador. Acredito nos enganos, nos tropeços, nas estradas erradas que trilhamos por falta de orientação ou teimosia.

É comum ver pessoas com medo de engordar, utilizando métodos comprovadamente danosos à saúde. E por quê? Por que não apelar para o bom senso? O medo de engordar é mais forte do que o medo de adoecer? Que padrão é esse determinado por quem decidiu o que é o belo e o feio? Não estou falando que as pessoas devam ser descuidadas, apenas refletindo sobre as correntes que escravizam quem está em busca de um ideal desnecessário. Volto ao que você disse de rostos sem rugas e de rugas da alma. Não há plástica que plastifique os nossos sonhos; aliás, mesmo os sonhos impossíveis precisam ser sonhados. E de novo a canção.

Sonhar mais *um* **sonho** *impossível*
Lutar quando é fácil perder
Vencer o inimigo invencível
Negar quando a regra é ceder

Amigo, o sonho impossível só pode ser sonhado com fé. O inimigo invencível só pode ser vencido com fé. É a fé que dá à mãe da criança doente serenidade para o embalo necessário. É a fé que faz crer ao marido da avarenta que a paciência vencerá a prepotência. É a fé que faz com que mulheres e homens se prostrem diante do Autor da Vida em busca de vida. É a fé que nos lança a combater o medo arrebatador. E ela nasce da simplicidade do encontro, do amor partilhado, das cicatrizes incontáveis provocadas por quedas ou por agressões. Sofremos por nós mesmos e pelos outros. Sofremos pelas intransigências de nossas emoções precárias e porque nos deixamos atingir por outros, caducos dos mesmos problemas. Lançamos no outro a chama que nos consome, fazemos do outro o retalho que falta em nossa tessitura e lamentamos a diferença de tamanho ou de desejo. Quem há de nos visitar nesse recanto distante em que nos distraímos? Quem há de ter piedade da solidão voluntária ou ignorante? *Quem terá a coragem de negar quando a regra é ceder?*

Envelhecemos, padre, quando lançamos fora o que nos rejuvenesce: o amor. O amor é o antídoto que afasta a doença e que ameniza a dor. O amor nos dá serenidade porque somos capazes de ver o outro além de nós mesmos. O outro é o que dá alteridade à minha vida. E é isso que o avarento, o mesquinho, ainda não compreendeu. É isso que o arrogante não percebe. O outro não é uma coisa que existe para me servir. Ninguém é coisa de ninguém. Respiramos a vida como um bálsamo que nos eleva. Elevados, enxergamos melhor. E o que vemos nos alimenta para novos voos. Para voar, é preciso fé. E se o voo nos aproximar da Luz a volta será completamente diferente. A subida é temerosa porque não sabemos o que vem pela frente. É a fé que nos conduz. O encontro sela a esperança de que a volta será plena de amor. E com amor a paisagem se transfigura, porque os olhares em êxtase são capazes de ver o invisível. E sem maquiagem. A transformação é constante e interna. E os anos acabam sendo um mero detalhe nas idas e vindas.

A morte, amigo, virá hoje ou amanhã. Será postergada um pouco ou muito. Mas virá. Nada a impedirá de vir. O envelhecimento, como bem você colocou, é a desmaterialização trágica e linda. A doença também. Sentimos na carne o desgaste da caminhada. E isso não nos deve aterrorizar. Digo isso para mim também, para que eu acredite que a beleza da trajetória está, inclusive, na efemeridade das paisagens. Vivemos hoje na espera do amanhã e na saudade do ontem, e prosseguimos. Do nosso jeito. Com as nossas idiossincrasias. Caminhamos nus, sem pálpebras, sem pausas, sem alívios. Aliviamo-nos quando nos iluminamos de amor, apenas isso. Amor ao outro e a nós mesmos. Como dizia São João, que história é essa de amar a Deus, a quem não vemos, e não amar ao próximo, com quem convivemos?

Talvez eu tenha medo da dor por temer a dependência. E isso é uma falha que preciso corrigir. Depender do outro me faz mais humilde, mais cioso das minhas obrigações e limitações. Servir é mais fácil do que ser servido, quando precisamos ser servidos.

Nos asilos que frequentei e frequento sempre me surpreendo com histórias ricas de quem se preocupa mais com o clima e com o horário da refeição do que com vitórias. Vencer é estar vivo. Apenas isso. Vencer é compreender o tempo da cicatriz e o tempo da decomposição.

Recebi há algum tempo a correspondência de uma mulher que pedia respostas ao seu calvário. Seu filho, mergulhado em drogas, estava preso. E o marido pela sexta vez a havia abandonado. E ela, sozinha, não encontrava saída a não ser se despedir e antecipar a decomposição. Apressei-me em responder na esperança de ajudá-la a encontrar algum alívio. Com relação ao marido que partia e que voltava como um brincante desrespeitoso, a resposta se convertia em pergunta. Por que recebê-lo de volta tantas vezes? Por que se contentar com as sobras, aceitar o resto? Ou talvez se perguntar sobre os motivos de tantas partidas? Presenças e ausências dolorosas. O estar era um devir quase imaginável do partir. E o partir era a espera do voltar. Assim mesmo, sem ocasião para comemorações. Vale a pena?

Com relação ao filho, a questão era similar à de tantas outras mães. O filho precisava de amparo. E, se ela partisse, a lida seria mais dura, a subida mais íngreme. O filho precisava dela na prisão e haveria de precisar depois, porque sempre há um depois. Quedas não enfeiam a travessia quando o colo acalanta a compreensão. E depois da noite vem o dia, e depois da chuva vem o sol. Por que partir na noite ou na chuva? Por que não se aliar ao tempo e esperar que o tempo diga o momento da partida?

Ela respondeu-me dizendo que a chama da vida precisava continuar acesa, senão o frio poderia congelar o filho. Era essa a resposta que eu imaginava. Era o filho, a razão da sua força, que a alimentaria de esperança. Confidenciou-me sobre o marido indeciso, dizendo que não haveria de repetir o erro da mãe que foi abandonada pelo pai. E que voltou vinte anos depois. Velho e doente. A mãe adoeceu, cuidando do doente. Calada, sentiu-se obrigada a dar abrigo. Fechou-se em si mesma e morreu pouco antes do moribundo. E ela repetia, de certa maneira, a sina da mãe.

Eu não entendo, amigo, a covardia de tantos homens com as suas mulheres. Fico enojado com piadas grotescas de machões que se vangloriam por sair com menininhas que entregam o frescor da idade. Dizem sem constrangimento que arroz com feijão enjoa e que é preciso buscar em outros lençóis a satisfação para seus instintos. Não quero ser o porta-voz de um discurso moralista, mas quero confirmar meu respeito à dignidade da pessoa humana. Por que os homens podem e as mulheres não? Por que os pais protegem as filhas e lançam os filhos a encontros antecipados? Não há como negar que são as mulheres, e não os homens, as maiores vítimas da violência doméstica, do álcool desprezível, dos dissabores descontados em quem está perto.

A doença da alma é mais grave do que a do corpo. Uma alma doente adoece toda a família. Uma alma doente acorrenta, estrangula, sufoca, antecipa a morte.

E a morte vem sem avisos e sem postergações. Assim Machado de Assis registrou em *Memorial de Aires*:

Papel, amigo papel, não recolhas tudo o que escrever esta pena vadia. Querendo servir-me, acabarás desservindo-me, porque se acontecer que eu me vá desta vida, sem tempo de te reduzir a cinzas, os que me lerem depois da missa de sétimo dia, ou antes, ou ainda antes do enterro, podem cuidar que te confio cuidados de amor.

É interessante saber que não teremos tempo para reduzir a cinzas o que gostaríamos de levar junto conosco. Segredamos pouco do que somos e súbito podemos partir. E quem haverá de cuidar das nossas coisas? Mas, se já partimos, as nossas coisas não deixarão de ser nossas? O melhor é não pensar ou, pensando, cumpriremos com mais cuidado nosso ofício? Não fiz testamento, amigo. Talvez deva fazer apenas como precaução para que o pequeno legado de ideias que hoje encontra guarida não seja sufocado por quem sufoca hoje o que sinto. Apenas isso. O que é matéria que se desmaterialize. O que é intenção amorosa que prossiga.

Padre Fábio, essas cartas nos instigam a entender o que não tem explicação. Não sei se é melhor pensar ou apenas deixar que o tempo nos leve. Parece-me que, quanto mais pensamos, mais nos conscientizamos de que tudo é apenas reflexo da imagem provisória que temos de nós mesmos. Se aceitamos a humilhação e a rispidez, é porque buscamos o inatingível nessas relações doentes. Se partimos sem aviso, é porque tememos o encontro. Se choramos os medos que nos atormentam, é porque as tormentas são mais fortes que nossa resistência. Não tenho respostas, amigo, tenho intenções apenas. Intenções de substituir as correntes pela brisa nova que me convida a sair mesmo sem me dizer o que há por vir. É essa novidade que nos afronta belamente. É o dizer de quem está consciente à beira da morte que não tem medo, apenas curiosidade.

É curioso escrever essas linhas e imaginar as suas reações ao lê-las e aguardar alguma resposta para me deixar ainda mais inquieto. É assim que enlaçamos mãos e pensamentos e nos damos generosamente em amizade. Não sei quanto ainda diremos e quanto ficará por dizer. Só sei que escrever é uma forma de manter vivo o que nem a morte nem o envelhecimento destroem. Escrever é materializar o imaterial, é traduzir o transcendente, é comprometer-se, enfim.

Obrigado pela sua escritura, irmão. Ela é a flor na janela que tenho o prazer de ver, contemplar e cuidar.

Com carinho,

Gabriel

Décima segunda carta

*"Tão importante quanto
crer é saber duvidar.
A construção da fé
passa o tempo todo pelo
caminho da dúvida."*

Meu querido Gabriel

Obrigado pelas suas palavras. A partir delas eu concluo, mais uma vez, que o contexto da dúvida é muito mais atraente que o contexto das respostas. A dúvida resguarda possibilidades, ao passo que a resposta pronta fecha a porta da continuidade. A curiosidade humana é o impulso de todas as descobertas. Dúvida e curiosidade são asas de um mesmo pássaro. Recordo que meu professor de metafísica nos falava constantemente sobre a experiência do "assombro". O filósofo é o homem do assombro, do susto, da curiosidade, do encantamento. Ao deparar com a realidade não compreendida, a mente grita pela compreensão, pelo desvelamento. O filósofo obedece. Deixa-se envolver pela dúvida, busca na pergunta o itinerário da solução. O conhecimento nasce desses assombros.

Meu amigo, suas palavras estão costuradas na experiência do assombro. Nascem da indignação que o faz criativo, atento ao processo humano que o inspira, que o desinstala e o diferencia no mundo. Sua alma é casa de poesia, mas é também casa onde a razão tem bons alicerces. Essa mistura é instigante, meu caro. Ela o coloca diante dos sentimentos do mundo de maneira sensata e criativa. O equilíbrio é o caminho mais seguro, mas é também o mais difícil de ser trilhado. A equalização entre razão e emoção é uma conquista a ser alcançada.

Muitos medos nascem desse desequilíbrio. Muitos sentimentos mesquinhos também. A gênese de muita infelicidade está na inadequação entre o que pensamos e o que sentimos. Outro dia encontrei uma mulher que vive um conflito semelhante ao que você me relatou, mas com um diferencial. Diante da enfermidade do filho, ela reagiu com indiferença. Tudo o que ela sabia sobre ser mãe não era suficiente para que seus sentimentos seguissem a mesma direção.

O filho nasceu com uma deformação física. Não era uma criança atraente. As imperfeições das formas não lhe permitiam reconhecer o filho que até então ela esperava ter. Ela estava revoltada. A revolta era manifestada na rejeição. "Este filho não é meu!", dizia ela sem remorsos. Sabia muito bem que não é natural a mãe rejeitar o filho, mas seu sentimento não obedecia a essa regra. A criança nascida de sua carne não era a mesma que ela havia gerado em suas expectativas. A inadequação entre sonho e realidade gerou infelicidade. O sentimento prevaleceu sobre o conhecimento.

Meu querido, nem sempre o que sentimos corresponde à verdade. Considerar a verdade a partir do sentimento é um caminho perigoso, pois pode nos levar a cometer grandes injustiças. A mulher estava desprezando aquele a quem deveria amar por causa do sentimento de fracasso que as imperfeições do filho lhe causaram. Ao fixar os olhos nos defeitos tão aparentes, tão gritantes da criança, a rejeição se avolumou, tornou-se gigantesca. Se ela não tivesse acreditado no sentimento de fracasso, talvez tivesse superado o desapontamento e, assim, descoberto a graça de perceber o filho além de suas formas.

Gabriel, não tenho medo de reconhecer. Já desprezei muita gente importante na minha vida porque acreditei demais no que sentia. E mesmo que meu sentimento não correspondesse ao que eu conhecia da realidade, eu o elegia como minha verdade. Por razões mesquinhas e vergonhosas, permiti que o sentimento do momento me fizesse esquecer o que eu verdadeiramente sabia sobre o outro. Desprezei por motivos pequenos pessoas que eu já havia reconhecido grandes. A razão? Elegi a ira do momento como verdade absoluta. Permiti que o desapontamento momentâneo prevalecesse sobre as histórias bonitas que já havia experimentado ao lado daquela pessoa.

A prevalência do sentimento sobre o conhecimento me fez perder muita gente interessante. Hoje tenho tentado mudar.

Ainda que a duras penas, preciso assimilar essa sabedoria. Nem tudo o que sinto é verdadeiro. A vida não pode brotar somente de minhas sensações. Preciso equalizar o que sinto com o que sei. É uma questão de humanidade.

Querido amigo, a pessoa de Jesus é um referencial para esse meu desejo. Toda a sua ação evangelizadora passou pelo exercício dessa sabedoria. Fico pensando quanto seus sentimentos deveriam ser contrários ao que ele experimentava com seus discípulos. Ele deve ter tido muita dificuldade para lidar com os sentimentos contraditórios que, certamente, a conduta de seus companheiros lhe despertava. Olhar para Pedro e reconhecer nele um grande amigo, mas ao mesmo tempo ter de lidar com o temperamento difícil de sua personalidade. Pedro era um pescador rude, com poucos conhecimentos. Um homem de poucas palavras, teimoso. Jesus, ao contrário de Pedro, era um homem marcado pela sensibilidade, inteligência, astúcia. Não devem ter sido poucos os momentos em que Jesus precisou lutar contra seus sentimentos para que prevalecesse o Pedro que ele conhecia. O Pedro que, mesmo marcado por grandes limites, era o amigo de sua confiança e de sua predileção. Se Jesus tivesse se deixado levar pelos sentimentos, certamente teria desistido do homem a quem confiou os destinos de sua missão.

O mesmo aconteceu com o apóstolo João, que, quando se aproximou de Jesus, era chamado “o filho do trovão”. Um homem que tem essa alcunha não deve ser muito fácil. Mas Jesus o transformou no homem da sensibilidade. Fez vir para fora o que João não sabia possuir. Garimpou na dureza de sua personalidade a pedra preciosa que o diferenciou no contexto dos doze seguidores. Essa transformação não deve ter sido um processo simples. Encontrar valores requer paciência com os limites humanos.

Querido Gabriel, percebo em nossos dias uma intolerância cada vez maior com os limites humanos. Temos medo das imperfeições. E por isso evitamos o outro no momento de sua fragilidade. Corremos o risco de cultivar pessoas e realidades a partir de expectativas, e não de possibilidades. Queremos o outro, mas esse querer fica condicionado. Queremos até o momento em que nossas projeções não sejam desarticuladas. Queremos, mas desde que absolutamente nada contrarie nosso querer.

É nesse momento que me pergunto: o amor que sentimos pelo outro pode ser concreto fora da experiência de limites e imperfeições? É possível amar alguém sem tocar suas formas mais imperfeitas? O amor consiste somente em reconhecimento de valores?

Não creio, meu amigo. Tenho aprendido, a partir de minha experiência, que o amor só é concreto depois de termos necessitado do perdão. Antes disso há qualquer outra coisa, menos amor. Eu só sei que amo verdadeiramente depois de ter esbarrado nas imperfeições do outro, depois de ter conhecido sua pior faceta e mesmo assim continuar reconhecendo-a como parte a que não posso renunciar. Só o amor me faz conviver com o precário da vida, com a indigência humana.

Esse ensinamento eu reaprendo todos os dias. A experiência religiosa não é possível fora da experiência da indigência. O banquete está posto, mas é também para os miseráveis. As portas do templo estão abertas para que os imperfeitos deste mundo venham se reconciliar com suas mazelas. Tudo o que é torto e precário pode ser reconciliado na mística dos altares.

O rito cristão trabalha o tempo todo a partir do conceito de salvação. É justamente disso que estamos falando. Salvar é retirar o outro de um lugar desfavorável. É oferecer-lhe a oportunidade de superar o que o condena. Por isso o banquete eucarístico é acontecimento salvífico. O banquete só tem sentido se houver fome. A metáfora está posta, assim como está posta a mesa. A fome que queremos curar não se limita à fome do corpo, mas abrange a fome da totalidade humana. A fome de sentido, de beleza, de bondade, de justiça. O banquete nos reconcilia entre nós.

Por isso nós nos desejamos a paz. É a oportunidade criada para que as mãos se reencontrem, para que os olhares voltem a se cruzar.

É a oportunidade que temos de fazer prevalecer o que sabemos sobre o outro, e não o que sentimos. Amar é também conhecer. Há um conhecimento que nos coloca a todos num mesmo prumo. Somos filhos e filhas de Deus, possuidores de uma mesma dignidade, e, ainda que não sintamos na carne alguma satisfação que nasça dessa verdade, é preciso que o conhecimento dela nos conduza a uma conduta mais solidária e fraterna.

Preconceitos nascem e são nutridos quando nos esquecemos dessa premissa, meu caro amigo. Você sabe muito bem de tudo isso! É homem que luta para que os encontros humanos sejam mais frutuosos e salvadores. É homem que faz uma experiência religiosa sincera, honesta. Vive e professa a religião a partir dos dois pilares que nos recomenda a sã teologia: a fé e a razão. Fé que lhe proporciona a aventura de ser como um menino levado pela mão e, ao mesmo tempo, um adulto que acredita porque sabe duvidar.

A dúvida é processo importante na construção da fé. É a partir dela que crescemos na confiança. Ela é o crivo que nos posiciona de maneira honesta diante da verdade sugerida. O exemplo do menino levado pela mão é interessante. Só fechamos os olhos e confiamos se soubermos acreditar na mão que nos segura. Mas essa confiança não caiu do céu. Foi construída aos poucos, pela força da convivência. Esse convívio, por ser humano, certamente comportou em seu processo a experiência da dúvida.

Querido Gabriel, as pessoas são mais interessantes quando exercem de maneira saudável as dúvidas que sentem. O contato com a filosofia me ensinou isso. Alguns autores que estudei não eram honestos com seus questionamentos. Transformaram a dúvida em instrumento de ataque. Seu objetivo primeiro não era construir, mas destruir. Muitos alunos seguiram os mesmos passos.

Por outro lado, encontrei autores que fizeram de seus questionamentos uma proposta bonita de construção de valores. A dúvida a serviço da boa reflexão, da tentativa de superação do senso comum, da margem estreita e do discurso redutor. Foi a partir desses autores que comecei a acreditar que a religião precisa seguir as mesmas regras. Tão importante quanto crer é saber duvidar. A construção da fé passa o tempo todo pelo caminho da dúvida. É bonito, é salutar. Por isso teologia e filosofia são caminhos que se cruzam. Da mesma forma como a filosofia carece de perguntas para avançar, a teologia precisa de questionamentos para ser aperfeiçoada.

O dogma não é uma verdade ancorada, pronta e definitiva. Ele está em processo de evolução. Como ele evolui? À medida que aumenta a compreensão que temos dele. O que está dito ainda não está plenamente compreendido. Interessante, não é mesmo?

O conteúdo da constituição dogmática estará sempre em processo de desdobramento; afinal, ele está ligado à dinâmica da vida. O dogma segue as mesmas regras do discurso poético. Jamais se esgota, pois extrapola a experiência do tempo. Quer matar a poesia? É só considerar que ela já foi totalmente dita. Quer matar o dogma? É só considerar que ele já foi totalmente compreendido.

Outro dia conversei com um rapaz que tinha medo dos estragos que a filosofia poderia causar em sua fé. Ele dizia tudo isso com muita honestidade. Tinha receio de que a leitura de alguns autores céticos pudesse fragilizar suas certezas. Olhava para os livros com desconfiança, pois os enxergava como ameaça à prevalência de suas edificações dogmáticas. Fiquei pensando nas forças que geraram esse medo.

Discurso frágil? Religião que não passou pelo crivo da reflexão? Fé que não comporta a possibilidade da dúvida? Não sei. Arrisco-me a dizer que essa insegurança é característica muito presente nos dias de hoje. Ela se manifesta em dois opostos. Nas pessoas que não suportam a dúvida, e por isso se protegem demais com respostas prontas e acabadas, ou então nas que duvidam sem critérios, que se escondem em ceticismos desonestos e inférteis.

Tenho ficado incomodado com as duas posturas. Encontro pessoas hermeticamente fechadas em suas certezas, incapacitadas de escutar os que pensam ou creem diferente. Gastam sua vida ostentando as bandeiras de suas crenças, defendendo a qualquer custo a superioridade de seus ritos, ainda que para isso venham a se tornar promotores da intolerância. Ao invés de construir, quebram as pontes da fraternidade. As pontes que facilitariam a travessia e o encontro. Por outro lado, encontro os céticos desonestos, homens e mulheres que se emanciparam de qualquer forma de fé religiosa e optaram por desconsiderar os desdobramentos da transcendência. Enxergam e consideram o discurso religioso de segunda grandeza. Firmaram seus pés nos sinuosos terrenos dos preconceitos e de lá não pretendem sair.

Meu querido Gabriel, como é difícil conviver com tudo isso. Como tem sido doloroso para tanta gente os frutos dessa falta de tolerância. As pessoas estão cada vez mais temerosas de se mostrarem frágeis. Por isso simulam uma coragem que não possuem. Revestem-se de armaduras pesadas na tentativa de sobreviver aos novos holocaustos. Há alguns anos, tive a oportunidade de escutar um jovem professor proferir seu discurso de paraninfo a seus alunos de medicina. Ele dizia que, "quanto maior a armadura, mais frágil é o ser que a habita!".

Confesso que aquela frase ainda não terminou dentro de mim. Continua ressoando com seu poder de verdade e encanto. O professor tem razão. O medo da fragilidade nos faz buscar armaduras. Nós as construímos o tempo todo. No homem sempre sério e incapacitado de um sorriso mora um homem frágil, desejoso de um abraço. Na mulher emancipada, temida e altamente qualificada profissionalmente, mora uma menina que tem medo de escuro. No grito grosseiro e ríspido do chefe de departamento, mora um menino que tem medo de errar.

Eu também me vejo na mesma contradição. No momento em que não suporto o defeito do outro, o que verdadeiramente rejeito é a minha imagem nele refletida. Minha armadura está posta. Nela eu me escondo e me justifico. Faço do meu sentimento a minha verdade. Crio meus dogmas e atrás deles me posiciono. Eles são meus escudos, minhas guaritas. Neles finjo que estou protegido.

Meu amigo, só o amor pode desconstruir essas armaduras. Só o olhar de quem nos ama pode nos encorajar a sermos nós mesmos. Olhares amorosos são olhares de devolução. Eles nos permitem mostrar a fragilidade sem que haja a imposição da vergonha. Eu quero alcançar esse jeito de olhar o mundo, meu caro. É a partir dele que serei capaz de viver a reconciliação que me coloca como instrumento de salvação no mundo. Eu quero. Eu espero.

Nas imperfeições de minhas falas, despeço-me, desejoso de reencontro.

Com minha bênção,

Pe. Fábio

Décima Terceira Carta

"É assim que encerro essa carta, cheio de dúvidas, mas com uma certeza: a subida é para todos e se vez ou outra olharmos para dentro de nós mesmos conseguiremos antever o espetáculo que nos aguarda."

querido amigo

Que bom receber sua carta e reler nela sentimentos que o habitam e que o fortalecem. Que bom reconhecer que podemos ser como João, o homem que de trovão se transformou em discípulo amado. O homem que se permitiu ser seduzido por Jesus. Aí está o oráculo do amor. A permissão!

Jesus convidou, não obrigou. Pediu para entrar. Não invadiu. É esse respeito que me fascina na postura salvífica do Pai. Somos convidados a desconstruir as armaduras, somos convidados a lavar os pés, a limpar o corpo, a ceder espaço; nunca obrigados.

A liberdade faz com que cada um tenha o seu tempo de ruminação. Mastigamos as nossas angústias, remoemos os nossos sentimentos, precários ou altruístas, mas nossos, e assim, iluminados pela razão ou não, decidimos.

Quando a razão ilumina, tudo fica mais fácil. Evidentemente, como você disse, a razão sem fé nos impede de seguir o curso rumo ao cume, para a surpreendente paisagem antevista com o coração. A razão faz as contas das passadas que serão necessárias, dos perigos da incursão selvagem, dos possíveis desconfortos e até da dificuldade de garantir que exista algo a ser contemplado. A fé se desobriga de tantos senões e impulsiona o encontro necessário da ascensão necessária. É isso mesmo, amigo. Insisto no necessário porque é essa a nossa missão. Ficar embaixo da montanha fazendo prognósticos, embalados pelo medo, rouba-nos o encantamento pela deslumbrante paisagem que nos espera. O medo não pode nos deter embaixo de alguma árvore, a não ser pelo tempo necessário para a sombra poética e, depois, o correto é partir.

Digo correto, amigo, sem a pretensão de definir como devem agir os caminhantes, mas na reflexão amorosa de que os riscos da subida tornam a chegada ainda mais esperada. Novamente é o êxodo e é o êxtase. Sair e se encantar. Sair das prisões voluntárias e se encantar com a vitória da fé. Isso não desmerece a razão. Sem a razão, talvez a subida não atinja o seu objetivo. Delírios excessivos desprezam a trilha. Sem a razão, corre-se o risco de escutar falsos guias que preconizam conhecimento e decidem o certo e o errado e ainda julgam e preconceituosamente atestam quem conseguirá chegar e quem será alijado da paisagem. Não se pode deixar enganar. A razão desconfia, duvida. E é assim que tem de ser.

Padre Fábio, um tema que tem me intrigado sobremaneira é o esgotamento de vida roubada por uma juventude sem tema. Já falamos sobre isso, mas nunca é demais. São meninos e meninas que se encontram nas esquinas da vida e que decidem sem decidir. Envolvem-se em desonestidades afetivas. Entregam-se de olhos cerrados ao nada. E choram a dor doída da incompreensão. Povoam as festas fartas de vazio e vazias de significado. Bebem para esquecer e se amam sem amor na busca de preencher o nada da vida. Festas em que a cegueira conduz os festeiros. Matam a si mesmos e ao outro. Matam na dor moral do abraço destituído de razão ou no braço capaz de ferir violentamente um igual.

A violência é companheira desses viajantes iniciais. São os jovens que mais matam e mais morrem. São eles que povoam os presídios. São eles que ateiam fogo em pessoas, e que, covardemente se desunem para agredir brutalmente. Há tantos filmes que revelam essa fotografia sem rosto. São bandos, amigo, bandos armados de força e despidos de intenção. São bandos incontroláveis que entorpecem o que Hegel chamava de *espírito do mundo*, isto é, uma rede de relações humanas sem fim. Estamos no mundo para nos relacionar, não para nos destruir. E o medo toma conta de quem tem de participar dessa teia. De quem entra na faculdade e pode se deparar com os abusos dos que chegaram primeiro. De quem entra em uma festa e se sente obrigado a se drogar para pertencer. De quem sai de si e faz o que mandam apenas para provar que não tem medo.

Oh, bom medo desprezado! É preciso ter medo, amigo, de roubar a inocência do outro, de ferir os sentimentos ou o corpo de quem participa dessa rede humana.

Vejo pais desesperados de medo. Medo dos filhos darem errado. Medo de encontrarem o fim antes do tempo, sem o tempo do plantio, da colheita ou da despedida. Pais que tentam criar os filhos em redomas para protegê-los. Não há redomas nesse mundo informacional! É impossível viver pelos filhos. É necessário prepará-los para encontros desencontrados e não simplesmente cerrar as portas.

O brasão da cidade de São Paulo traz o lema: *Non ducor, duco*; que significa "Não sou comandado, comando" ou "Não sou conduzido, conduzo". Conduzir a si mesmo sem fazer ou deixar de fazer com medo do outro é necessário e essencial para a sobrevivência do jovem de qualquer idade. Ser conduzido é permitir que o outro me drogue ou me drogar por causa dele. É dar autorização para que invadam a minha inocência e roubem os meus sonhos. É desistir de alcançar o cume pelo comodismo de festejar algum ponto da caminhada.

Festas, amigo, apenas festas que desatinam a mente jovem desses caminhantes. São bravos, guerreiros entorpecidos pelo prazer momentâneo. Alexandre, o grande rei da antiguidade clássica temia que seus soldados em tempos de paz perdessem a têmpera, o vigor da luta. Bebiam demais, comiam demais e se lambuzavam grotescamente e de repente o esquecimento, cruel a qualquer guerreiro. Alexandre temia essa amnésia. A coragem precisava de treino e de comando. Os soldados nasceram para isso e não para o tédio.

Os problemas dos jovens estão aí, postos, conhecidos. A solução está no bom combate de São Paulo ou nos treinos de Alexandre. É para a guerra justa que fomos talhados. Não podemos nos furtar de lutar enquanto nos fartamos do que nos rouba o significado. A solução para o jovem é entregar a ele uma bandeira. Joana d'Arc fascinou o mundo com um estandarte branco em busca de um novo mundo. Sua fé a lançou para o combate. Seus princípios dominaram seu medo. Era uma menina, apenas, que venceu guerras porque tinha um propósito. Não importa o desfecho, o que importa é o motor que move rumo ao caminho correto. Desde o início Joana entregou-se ao ofício da liberdade. Enfrentou desconfianças e descréditos e prosseguiu. Sozinha às vezes, outras aplaudida por homens amedrontados que se transmutavam influenciados pela guerreira santa.

Na *ágora* grega, praça em que o povo se encontrava para discutir as possibilidades e os limites da ação humana, os filósofos insistiam que a juventude aprendesse e apreendesse a *Eudaimonia*. *Eu*, no grego vem de *bem*. *Daímonos*, vem de *divindade pessoal*. Podemos traduzir isso como *a melhor vida* para o homem. Tanto Platão quanto Aristóteles ensinavam que *essa melhor vida* não se tratava de passividade, mas atividade. Uma boa-vida não é aquela em que não fazemos nada; ao contrário, é aquela em que nos impulsionamos para uma grande causa. É de ação que precisamos. Ação como tema para significar a vida. Ação que vem de aspiração. Aspiração que comanda as escolhas que comandam os desejos. Era disso que falava Aristóteles ao seu filho Nicômaco, como já tratamos, e a tantos outros filhos da terra grega. O medo de uma vida sem medos, não porque corajosa, mas porque temerária, se encerra quando a aspiração brota da alma humana nascitura de novos tempos e de novos encontros. O jovem tem de perceber que há possibilidades. Mesmo diante da encrenca, do medo do que Hobbes chamava de vida solitária, pobre, sórdida, brutal e curta, daí sua expressão de que o homem é o lobo do próprio homem (*homo homini lupus*). É preciso encontrar uma saída. E a saída talvez esteja no próprio Hobbes que nasceu gêmeo do medo, dizia-se que sua mãe entrou em trabalho de parto quando a notícia de que a Invencível Armada espanhola se aproximava para ser vencida pela Inglaterra. O medo faz parte da sua trajetória intelectual. Hobbes justifica a cidade e o estado como instrumentos de aspiração humana para pôr fim ao medo. A convivência em um estado com regras fortes, obedecidas, não cerceariam a liberdade, ao contrário, a protegeriam. Proteger é conduzir ao bem, que tanto se deseja quando se tem aspiração; e livrar do mal, a que se tem aversão quando se reflete sobre ele.

Não creio, querido padre, que um jovem tenha consciência do que faz quando faz o que não deveria ter feito. Explico. Um jovem que participa de um racha de velocidade, que se envolve em um briga criminosa, que estupra rindo porque faz parte de um grupo que quer se divertir, comete as piores atrocidades por ignorância. Ou ainda por incompaixão. Não estou minimizando esses males, essas práticas violentas que devem ser compelidas com rigor. Estou tentando ir até as causas. Por que um jovem sai de casa para embebedar-se até cair, até morrer? Por que coloca fogo no que dorme nas ruas do abandono e ri da ação macabra? Por que invade o outro usurpando do outro os sentimentos e depois jogando fora? Há práticas que são penalmente imputáveis, há outras que são apenas moralmente condenáveis. Prometer amor e entregar desprezo não é crime tipificado em códigos. Há, entretanto, crime no código humano que deveria, independentemente de outras legislações, conduzir nossos passos.

Padre Fábio, muita coisa errada se faz com o amparo do ciúme. Um sentimento ligado ao amor que pode ter um aspecto positivo quando se aproxima do zelo, segundo Descartes, ou desprezível porque se trata de um ódio de quem aparentemente se ama e realmente se inveja, segundo Espinosa. E inveja é uma tristeza diante da felicidade de alguém. Descartes quando trata do zelo, fala do cuidado, da partilha de vida. O ciúme nesse caso não é um exagero, mas um adoço ao convívio. É bom sentir que somos cuidados, que se importam com a gente. É quase uma brincadeira divertida na teia das nossas relações. Já falamos sobre isso, sobre o significado que quem ama empresta a quem é amado. Espinosa fala do perigo da posse, quando o outro se torna uma coisa incapaz de ser, sem que eu autorize. Incapaz de viver sem que eu esteja, ao lado, dizendo o que deve ser feito. É como se eu prendesse em uma jaula imaginária o objeto do meu amor, com medo de perdê-lo. Perder dá medo porque alguém mais sedutor do que eu ou com mais promessas de futuro poderá levar o meu objeto. E aí está o problema, amigo. Primeiro que o outro não é um objeto, mas um sujeito. Depois que ninguém é coisa que se trancafia para usar quando necessário.

Quando estudava Direito deparei-me com um triste caso de dois jovens apaixonados. Era um casal de vinte e poucos anos. Ele, professor em uma academia de ginástica, corpo esculpido pela profissão, rosto menino, belo. Ela também linda, graciosa. O encontro se deu junto com o entusiasmo da paixão. Menos de um ano depois estavam casados. Juras eternas de amor. Entrega total. Ele, filho único. Ela, única filha mulher. Viajaram juntos em afagos na lua de mel e na espera de um futuro. Lambuzaram-se em desejos e promessas. Tudo ia bem até que o ciúme doentio trouxe a dúvida cruel e o que era encantamento tornou-se cobrança e dor. Resumindo a história, amigo querido, depois de uma longa carta de despedida, o fim. Na carta, ela resumia em versos de amor a história do homem que a construiu, que a fez sentir-se mulher e que a destruiu, fazendo com que a mulher se despedisse para dar lugar a um trapo de ansiedade e medo. Ele cobrava, menos de um ano depois, um corpo tão lindo quanto o do namoro. Dizia incômodos que atormentavam a esposa ferida, com medo de ficar feia e medo de perder o amor romântico que dava sentido à vida. Cada nova amizade, uma comparação. As outras mulheres tinham algo que faltava à sua. E assim chegou o fim. Li essa carta junto às fotos dos corpos sem vida. Ela se matou e matou o marido aventureiro. Não sei se ele teve outras mulheres ou se foi tudo fruto da imaginação. Mas o filho único despediu-se prematuramente da vida. As fotos, amigo, chamaram minha atenção pela beleza e juventude. E os bilhetes anexados ao processo mostravam quanto a imaturidade, a insegurança, a doença da posse podem antecipar a partida. Eram jovens e estavam experimentando o frescor do amanhecer. Partiram desnecessariamente.

A teia da sedução existe e não se esgota. Como tudo na vida. Os laços de amor e amizade estão sendo construídos. É o que você falou tão bem em uma das cartas sobre o amor aquecido pela lenha, vagarosa e necessária. Por mais acolhedor que seja o ambiente, se a apatia tomar conta dos amantes e se não houver disposição nem desejo de buscar novos pedaços de madeira, paulatinamente as brasas vão se cansando e se despedindo. E não se trata de um outro fogaréu. Trata-se da ausência.

O medo de perder o outro pode me transformar em um criminoso. Ou porque escravizo o outro, impeço que ele tenha vida própria, fartando-o de objetos fluidos ou porque dou cabo à vida, covardemente, por preferir a morte de quem penso que amo a abrir espaço para que outro amor frequente a sua história. Os crimes passionais estão na ficção e na vida nos ensinando a tomar cuidado.

Enganamo-nos muito, amigo, com quem chegou ontem e trancou nossas esperanças. Embriagamo-nos de paixão e ficamos encerrados nos porões da casa antiga. Sim, porque a casa nova é a que construímos juntos. Cada qual com seu tijolo, seu esforço e seu palpite. Juntos. Na amizade ou no casamento. Juntos. Sem prevalência de desejos nem de posições. Sem covardia. Sem permissão de que a força física ou financeira comande. Juntos. Não pode um crescer e o outro assistir. Um crescer e o outro aplaudir. Sim, o aplauso faz parte, desde que se revezem no palco os artistas.

Amigo, quantos são os que deixam de viver por causa dos outros e depois cobram o quinhão de vida que foi desperdiçado. Quem ama, zela; quem ama, celebra, partilha. É de mãos dadas, como já falamos lembrando Drummond, é de mãos dadas que o cenário fica menos rude. É de mãos dadas que respondemos à questão de Caetano Veloso:

Existirmos, a que será que se destina?

É de mãos dadas que nos despimos do trovão de sua carta e nos vestimos de sensibilidade para a fome da totalidade humana. Concordo que há pessoas que não suportam as dúvidas e por isso se protegem com respostas prontas e acabadas. Dogmatas ou céticos, como você mencionou.

Voltando a Hegel e à dialética, o filósofo nos ensina sobre a possibilidade e a necessidade dos contrários. Fala em tese, antítese e síntese a partir da própria observação da natureza. A semente é a tese que enterrada na antítese da morte gera a síntese que é a vida; a semente vira árvore, vira flor. Nos encontros humanos, a tese se permite dialogar com a antítese e chegar à síntese. A síntese poderá ser a confirmação da tese ou da antítese. São verdades provisórias que se encontram com outras verdades e refletem sem radicalismos nem exibicionismos. Perdemos tempo quando não damos tempo ao outro de divergir do que acreditamos. Nada de verdades radicais, amigo, apenas diálogo. Mesmo que eu continue com a ideia anterior o que importa é que eu permita o confronto, o contrário. O conhecimento ajuda a por fim ao radicalismo. Um jovem radical é um perigo porque não tem medo. E é preciso ter medo.

Falamos tanto de medo e de sua superação. E agora, o outro lado. O medo é vital, necessário, imprescindível. Sem medo nos coisificamos. Sem medo acabamos antes de começar. O medo gera o cuidado que gera o compromisso com a vida. A vida própria e a vida alheia como uma dialética do encontro. E, do encontro, nasce o amor. O amor puro, verdadeiro. Não o que escraviza ou mata. O amor que não discrimina, que não conhece o preconceito, até porque entende o conceito da diferença. Eu abomino o preconceito. Acho inadmissível qualquer presunção de superioridade de uma raça ou de um gênero ou de uma classe social e assim por diante. E viva a diferença!

Tenho muitas dúvidas. Mudo de opinião sem medo, até porque as opiniões existem para que sejam um ensaio na compreensão da verdade. Verdades, algumas definitivas, outras provisórias. Dialética. Estamos vivos, essa é uma verdade. Para quê? Para ter medo? O bom medo ou o que escraviza? O bom medo é o do zelo. O que escraviza é o que chama de volta as emoções precárias, de que já falamos, e as outras.

Somos avarentos porque temos medo de perder dinheiro, invejosos porque temos medo do sucesso do outro, ciumentos porque temos medo de que alguém roube o que fantasiamos nos pertencer. Arrogantes, porque temos medo de que percebam nossas fragilidades. Egoístas porque temos medo de dividir a rede. Preguiçosos porque temos medo da luta. Agressivos porque temos medo do amor.

Amor... amigo, aí está a resposta! A juventude de hoje poderia se inspirar nos exercícios de Alexandre ou no discurso de Joana d'Arc, ou em qualquer outro referencial de luz. Foram ousados esses moços que enfrentaram o medo da subida íngreme para contemplar o cenário majestosamente construído para os venturosos aventureiros. É isso. É beleza demais para ser desperdiçada.

Mas... como sempre há um "mas". Há aqueles que haverão de propalar que a subida não é para todos, voltamos ao preconceito. Até porque, se gabam em dizer que uns são atletas com disposição para o combate físico que há de se travar e outros são os assistentes, são os que carregam os enfeites que haverão de ornamentar os vencedores quando da chegada ao topo. Ora, também chegarão ao topo e talvez com esforço ainda maior porque carregam futilidades, caprichos de outros. Padre Fábio, como me entristece encontrar pessoas que por qualquer motivo enxergam as outras como pessoas menores, frutos de linhagens inferiores. Não há, amigo, melhores ou piores, mais ou menos inteligentes, nem mais ou menos santos, como você costuma dizer. Quem tem o termômetro que mede a santidade?

Dia desses um jovem dizia-me do estranhamento em encontrar na Igreja uma mulher que representava em novelas papéis desprezíveis. Falava com certa paixão sobre o que salvava e condenava um filho de Deus. Ouvi atentamente e quase não falei. Dei um abraço de despedida e no abraço dialético ele me confidenciou: "Acho que falei bobagem, não é?" Eu apenas sorri. E ele continuou: "É disso que as pessoas precisam: de abraço".

Amigo, às vezes é melhor não falar e ter a paciência de dar o tempo para que o outro conclua as suas imperfeições. Quis falar sobre os leprosos do tempo de Jesus, das proibições contidas, inclusive no Antigo Testamento, de que deles se aproximasse qualquer pessoa. Estavam definitivamente excluídos. Carregavam eles uma praga, um castigo. Eram impuros. E o que fez Jesus? Acolheu-os. Abraçou-os. É essa a revolução do amor.

Outro jovem casal falava-me sobre a genialidade do filho e sua impossibilidade de conviver com outras crianças sem a mesma inteligência. Diziam dos prodígios prematuros e da impaciência do filho diante da deficiência intelectual da maior parte dos seus pares. E a criança ouvia atenta os desatinos dos pais. E eu tentava semear alguma dúvida naquela certeza. Era responsabilidade demais para imputar a uma criança. Era cobrança demais para um rebento tão inexperiente. O que é inteligência? A capacidade de decorar textos e de resolver contas matemáticas? A destreza em correr mais rapidamente do que os outros ou em ter mais força para combater? A prontidão para o lucro com mais esperteza do que os demais? O que é a inteligência? O saber ou o conviver? Ou ambos? Que medo é esse do filho não ser tão bom quanto se espera ou exige dele? Que medo é esse de não ser o melhor?

Como eu lamento que ainda hoje existam essas premiações desnecessárias do melhor aluno disso ou daquilo. Falsa sensação de boa competição. Ausência do melhor sentido da cooperação. Aí está a inteligência. Se a subida é para todos é preciso aprender a cooperar. A trocar. A saber o que o outro tem que me falta e o que eu tenho e que falta ao outro. Diferença e não desigualdade. Heterogeneidade e não hegemonia. *Eudaimonia*, vida feliz, vida boa, subida certa. E, se cairmos, a cada queda será a vez de um ajudar. Sem enfeites nem adornos ao vencedor. Vencerão todos. O cenário é para todos. Todos. Inclusive os mancos. Os coxos. Os leprosos. Os doentes. Os feios. O que é a beleza? Que medo é esse de enfear?

A boniteza está no ar e é uma questão de inspiração e expiração. É o charme do receber e do entregar. É esse o sopro vital, amigo. Receber e entregar. O ar não nos pertence, nem o cenário ao qual somos convidados. Não há fileiras reservadas para os bem-nascidos, nem há espaços proibitivos para os atrasados. Cada qual no seu tempo com o seu ritmo. O que não pode, pelo menos é o que eu penso, é não subir. Isso não. Festejar embaixo a desistência é não ter fé. E sem fé, padre amigo, a vida perde o embalo e o desejo sufoca as escolhas que escondem a aspiração.

É assim que encerro essa carta, cheio de dúvidas, mas com uma certeza: a subida é para todos e se vez ou outra olharmos para dentro de nós mesmos conseguiremos antever o espetáculo que nos aguarda. E um sorriso nosso alimentará os outros alpinistas. Se não nos virmos, quem sabe os outros sorrisos surgidos da mesma sensação de fé nos impulsionem. Mas tudo isso com delicadeza. O que importa é ir, seguindo o impulso de nossa vocação, vencendo os medos cotidianos e pensando o amor.

Fernando Pessoa, em "O Eu Profundo", poetizava:

Tenho pensamentos que, se pudesse revelá-los e fazê-los viver, acrescentariam nova luminosidade às estrelas, nova beleza ao mundo e maior amor ao coração dos homens.

A riqueza do cenário, amigo, por decisão do Criador, está em embelezar ainda mais o belo espetáculo porque nós, com nossa capacidade de viver e conviver, amamos e abraçamos sem preguiça nem medo o Amor invisível e o amor visível que está aqui bem ao nosso lado trocando ações e impressões conosco.

O pôr do sol, a abundância da vegetação, o voo do pássaro, o estranhamento dos animais pequeninos, os sons, as cores, a brincadeira das nuvens e os sentimentos. Sem os sentimentos, lá em cima fica tudo muito frio. E com frio não é possível o êxtase diante do belo.

Sem os sentimentos, o cenário é quadro guardado no porão ou no sótão. Não deixa de ser belo. Mas não enfeita porque ninguém o vê.

Venha comigo, querido amigo, e me ajude quando eu tropeçar ou teimar em desistir e conte comigo para que aqueçamos de esperança a nossa subida.

É para o alto que vamos. Com pausas ou quedas. Com medos e dores. Com risos e amores. É para o alto que vamos. Chegaremos? Quem sabe!

É para o alto que vamos!

Vamos juntos, padre?

Com o meu abraço amigo,

Gabriel

Décima quarta carta

"A origem de muitos medos está no momento em que nos reconhecemos menores que nossos sonhos e anseios."

Meu amigo Gabriel

Aceito o convite. É para o alto que me projeto. Aproveito o impulso de suas palavras e realizo o movimento de ir adiante. A palavra que me acorda tem o poder de me fazer desejar as realidades mais elevadas. É por meio dela que enxergo a outra margem, o nascimento do sonho. Aliás, ao término de sua carta eu me recordei de um verso do saudoso poeta catarinense Lindolfo Bell, que dizia:

Menor que meu sonho não posso ser!

É verdade. A origem de muitos medos está no momento em que nos reconhecemos menores que nossos sonhos e anseios. Ocasião em que podemos mensurar e qualificar o resultado de nossos empenhos e compará-los ao motivo primeiro, lugar de onde partimos. A inadequação entre o sonhado e o realizado, quando mal interpretada, pode nos paralisar. Talvez seja isso que tenha gerado os grandes problemas sociais que envolvem a juventude do nosso país.

Outro dia assisti a um noticiário que mostrava um final de festa na cidade de São Paulo. O sol já havia nascido e um grupo de rapazes e moças se amontoava numa calçada imunda. Dividiam uma porção de cocaína sem nenhum receio de serem abordados por alguma autoridade policial. As imagens eram cruéis. Era possível perceber que todos eles já estavam abatidos e cansados. As expressões faciais denunciavam uma espécie de desprezo pela vida, pelo mundo. O repórter fez um único comentário: "É lamentável perceber que este é o café da manhã dessas pessoas!".

Nunca mais pude esquecer aquela cena. Era manhã de domingo, dia que nos inspira dormir um pouco mais, levantar e fazer uma caminhada pelo parque, ir a algum lugar encontrar os amigos, descansar, viver o bom da vida. Mas o que aquelas imagens revelavam era o contrário de tudo isso. O que tínhamos diante de nossos olhos era o cenário que expunha o resultado final de uma história que desconhecemos.

Aquela cena não nasceu da noite para o dia. Não foi construída no intervalo de poucas horas passadas. Ela é o resultado de um processo de escolhas livres, ou não, que foi construído com a participação de personagens que não aparecem na cena, mas que de alguma forma estão presentes, como sombras de fantasmas abrigados no fundo da alma.

Tenho muito medo de fazer análises apressadas. Tenho medo de forjar a resposta com base no momento presente. É muito redutor ser olhado sem o contexto da história que vivemos. O momento presente é parte da verdade, mas a totalidade do que somos não cabe no presente. A calçada imunda, a cocaína branca, os cabelos despenteados e as roupas sujas não podem ser o ponto único para a análise que pretendemos. Caso contrário, teríamos motivos abundantes para fazer o mesmo que faziam as autoridades religiosas que Jesus combateu. Jogaríamos fora, excluiríamos. Razões e argumentos não nos faltariam. O moralismo será sempre um socorro fácil para aquele que deseja desprezar.

Mas não é justo, não é honesto. O cenário estabelecido é um apelo que nos salta aos olhos. E diante do apelo prefiro reagir com calma, prefiro desacelerar o passo. Fico pensando na história de cada um deles. O que sofreram, o que enfrentaram. Quais teriam sido os motivos que os conduziram àquela manifestação pública de desamor próprio? Seriam eles, mais uma vez, o resultado da não administração dos medos que são próprios dos nossos dias? Creio que sim.

Gabriel, tenho ouvido de alguns dependentes químicos que a opção pela droga teve origem em medos sentidos. A droga se apresenta como mecanismo de suspensão temporária, sensação, ainda que transitória, do esquecimento das causas. Entorpecer a alma é um jeito de fugir das realidades difíceis, de tentar suportar os limites estabelecidos, os problemas surgidos.

Conheci um garoto que começou a se drogar depois da morte prematura da mãe. O pai não lhe oferecia nenhuma segurança. A mãe morreu de forma trágica, aos 40 anos de idade, quando ia buscá-lo na faculdade. Era dia do seu aniversário, e eles sairiam para uma comemoração. Ele era filho único. A droga foi o caminho que ele encontrou para tentar combater o medo que sentia de ser só. Eu o conheci no estágio final. O pai o expulsou de casa. Ele não aceitou nenhuma forma de tratamento. Foi encontrado morto aos 21 anos, por razões que desconheço. Dois meses antes de sua morte, eu o vi no centro da cidade cheirando uma lata de cola. Tentei falar com ele, mas ele não me reconheceu. Estava em estado de demência.

Meu amigo, o despreparo afetivo do garoto foi determinante para o desfecho trágico de sua vida. Ele não sabia administrar sua orfandade. Ele não aprendeu a viver sem a mãe, figura que foi muito forte em sua experiência. O pai, por sua vez, não viu na morte da mulher a oportunidade de se aproximar do filho. Não teve disposição de vencer a distância. Preferiu resolver a ausência da esposa através da substituição. Alguns meses depois o lugar já estava ocupado por outra. Ao resolver seu medo, ele não teve sensibilidade de perceber o medo do filho. O pai já estava amparado, mas o filho não. A mulher estranha não resolvia a solidão do menino. Ao contrário, agravava-a ainda mais, uma vez que o gesto do pai parecia declarar ao filho seu absoluto descaso e egoísmo. Posso estar errado, mas penso que a história poderia ter sido diferente.

Se os medos sentidos tivessem sido administrados de outra forma, talvez a vida do menino tivesse sido preservada. Ao experimentar o medo de ser só, aquele homem poderia ter se esforçado para reencontrar o filho que estava perdido dentro de casa. Ao exercer o papel de pai, ao assumir os desdobramentos de sua paternidade, aquele homem poderia ter tocado de forma definitiva e eficaz o coração daquele que era cria de suas carnes.

Se o pai tivesse feito esse esforço, em vez de buscar a solução da imediata substituição, talvez aquele garoto não tivesse buscado o preenchimento de suas ausências no subterfúgio dos entorpecentes. Não teria a mãe de volta, mas poderia conhecer o pai, que então estava ausente, e nele descobrir o amparo e a proteção que buscava. A reaproximação lhe daria a possibilidade de experimentar a cumplicidade paterna, no respeito à dor e ao medo que o atormentavam. Sofreria, mas a dor não o encaminharia para a destruição. O amor do pai era tudo com que ele poderia contar, mas esse amor não lhe foi oferecido.

Estou errado em minhas suposições, meu amigo? Acredito que não. O amor tem poderes surpreendentes, como diz a bela canção de Ivan Lins, "Iluminados".

O amor tem feito coisas que até mesmo Deus duvida. Já curou desenganados. Já fechou tantas feridas. O amor junta os pedaços, quando um coração se quebra. Mesmo que seja de aço, mesmo que seja de pedra.

A grande questão é que o amor não pode ser real fora do comprometimento e da cumplicidade. O amor pede e exige de nós. Ele nos encaminha para o conhecimento de caminhos tortuosos. Adélia Prado já dizia que "amar é sofrimento de decantação". Ela sabe bem o que poetiza. Não há amor sem renúncias, sem sacrifícios, sem purificações. Quebrar estruturas de pedra e de aço requer esforço, empenho. O caminho do amor é estreito, meu caro amigo. Sabemos por experiência. Não é preciso que ninguém nos ensine.

Gabriel, por que é tão difícil optar pelo caminho estreito, o caminho que nos exigirá maior esforço? Por que as opções humanas quase sempre passam pelas soluções simplistas, ainda que estas venham gerar destruições futuras? O prazer do momento vale o inferno de uma vida toda? Por que estamos desaprendendo as lições de nossos antepassados, pessoas que sabiam que o melhor da vida é o que nasce com o suor do nosso rosto? O amor que amamos não é sofrimento de decantação? Queremos o amor, mas não queremos suas exigências?

O exemplo é simples. É muito comum encontrar pais e mães realizando as vontades dos filhos, mesmo que elas não sejam saudáveis, tendo como único objetivo a prevalência do sossego. Para que os filhos não chorem, o desejo é saciado. Evitam-se os choros de hoje, mas desconsideram que podem estar plantando choros ainda mais profundos e desesperadores, que serão chorados no futuro. Pais e mães estão medrosos na educação dos filhos, mas o medo que sentem não é o medo positivo do qual você falou. O medo que sentem é o que paralisa, porque os fecha em egoísmos assustadores.

Medo que revela o despreparo para o exercício de paternidade e maternidade responsável. Medo de perder a tranquilidade, a vida, as oportunidades. São pessoas que querem conciliar o que naturalmente não pode ser conciliado. Mães que não dispensam aos filhos os cuidados que toda mãe deve ter. Pais que reduzem a paternidade à função biológica. Gente que brinca de ter filhos. Gente que brinca de educar. Gente que brinca de viver. Gente que brinca de morrer.

Meu amigo, o medo gera morte. Conheci uma senhora que se tornou alcoólatra na velhice. Não soube administrar o esfacelamento da família. Com a morte do marido, ela teve de assumir a administração do lar. Não soube. Buscou no álcool o que deveria ter encontrado em si e nos filhos que tinha. Faltou ajuda na hora certa, faltou alguém que a amparasse no momento do medo.

Onde estavam os filhos? Estavam trancados em suas grandes e suntuosas edificações. Ela foi para uma casa de repouso. Os filhos decidiram que era o melhor a ser feito. Alegaram que não havia espaço em suas casas para a velhice da mãe. Os grandes espaços das paredes construídas não correspondiam aos espaços das almas. As casas eram grandiosas, mas as almas dos filhos não.

Os filhos tinham medo da viuvez da mãe. Tinham medo da tristeza, dos limites que são próprios da idade, da doença. Era mais fácil encontrar um lugar onde a mãe pudesse ter conforto e dignidade. O argumento é sensato, bonito e elegante. O grande problema é que a frase bonita não alivia o sofrimento da alma que sofre. A dignidade que aquela mulher merecia não estava no asilo, mas no acolhimento que algum dos quatro filhos poderia lhe oferecer.

Ela decidiu viver por conta própria. Contra a vontade dos filhos, deixou a casa de repouso e teimou em voltar para sua casa. O álcool foi o mecanismo que ela encontrou para suportar a abrupta mudança de vida. Eu a conheci através de uma amiga que tínhamos em comum. A amiga me enviou-a na esperança de que eu a convencesse a buscar uma terapia de grupo de apoio. Ela me recebeu muito bem, mas disse que estava tranquila com a opção feita e que jamais pararia de beber. Ela me contou muitas coisas interessantes. Confessou-me que gostava de realizar uma espécie de ritual sempre que abria uma garrafa de vinho. Havia sempre outra taça servida, como se alguém estivesse para chegar.

Ela falou baixinho como se me contasse um segredo. Colocou a mão na boca e sorriu, envergonhada. Sorri também. Sorriso de tristeza, de desolação. O cálice a mais era sacramento de uma esperança, mas ao mesmo tempo a morfologia do medo.

Fiquei imaginando a mesa posta, o cálice solitário, o vinho vivo na taça tão morta. O olhar cansado, o corpo tão necessitado de abraços, carinhos. A pele saudosa de toque delicado de filho que chega, que abre a porta, que beija a testa e que pergunta se a vida anda bem naquele lugar. Fico imaginando a solidão da noite, os ruídos poucos, o medo sentido, o barulho da geladeira, o frio da alma.

A morte virá. É certo que virá. Virá em tempo que desconheço, em tempo que não posso calcular. Mas aquela senhora estará sozinha. Não haverá ninguém para segurar-lhe a mão, desejar-lhe boa viagem. Dizer que valeu a pena. Dizer muito obrigado. Morrerá mergulhada nos motivos de sua mocidade, nos tempos idos de seu aprendizado de que mãe é território sagrado, e que por nada neste mundo deve ser abandonado. Ela aprendeu. Ela concretizou no mundo o aprendizado. Cuidou da mãe até o fim da vida. "Cuidei da minha mãe até o último dia!", contou-me, cheia de serenidade, certa de ter feito tudo o que poderia ter feito.

O rosto cheio de idade era triste, mas ao mesmo tempo uma beleza insistia em driblar os desconcertos da pele. Era a alma tão bordada de histórias e nobreza. Eu estava certo de ter diante de mim um ser humano raro. O grande problema é que a fragilidade havia vencido. Em sua lucidez de palavras e pensamentos, ela me ensinava que os filhos de hoje nem sempre conseguem ser como os filhos do passado. Ela nasceu em outros tempos. Leu outra cartilha, cantou outras músicas, escutou outras histórias, foi costurada com outras linhas. O que ela fez pela mãe ela não recebeu dos filhos. Concluo que para ser gente é preciso aprender. É ofício. Ser pai, ser mãe, ser filho, ser irmão. É aprendizado.

Meu amigo, fico pensando na maneira como os jovens da calçada e a senhora do cálice solitário me atingem. É nessa hora que me recordo das sábias palavras de John Donne, no contexto de sua célebre reflexão, aquela que sugeria que nenhum homem é uma ilha. Ele dizia: "A morte de qualquer homem me diminui, porque faço parte da humanidade".

Talvez seja isso. Ao reconhecer a indigência das pessoas da calçada, de alguma forma eu também me reconheço nelas. Ainda que não faça as mesmas escolhas, ainda que não esteja jogado nas calçadas, nas mesmas esquinas, o medo também está em mim. O medo e seus esconderijos. O medo e suas soluções simplórias, destrutivas.

Também morro um pouco no menino que morre. Também sirvo taças em mesas vazias, em lugares que esperam por presenças. Também arrumo um quarto para um filho que já morreu, como cantou de maneira triste Chico Buarque em sua canção "Pedaço de mim".

Eu só peço a Deus que não me falte sabedoria na hora do medo. É preciso saber administrar o medo sentido, para que ele não antecipe o meu tempo de morrer.

Meu caro amigo, fico por aqui. Que as memórias aqui hoje contadas possam lhe conceder o dom da ressurreição diária. Esse é um jeito bonito de fazer valer o sofrimento que encontramos pela vida. É um jeito interessante de retirar o menino do túmulo e lhe restituir o ar nos pulmões. É uma forma de adentrar a casa da velha senhora, para que o cálice posto sobre a mesa volte a ter significado de comunhão.

Eu quero.

Queira também. Sempre.

Com minha bênção,

Pe. Fábio

Décima quinta carta

“Agimos por impulso
para que a ação não
seja filha da reflexão
até porque a reflexão
nos impede de muitos
mimos de que não
queremos abrir mão.”

Querido padre Fábio

Os jovens na calçada, o menino sem pai, a mulher sem filhos ou abandonada por eles, apenas com um cálice na mão...

Sofrimento. Sua carta é o testamento de que ao olharmos de verdade para o mundo nos deparamos com sangue por todos os lados. O sangue que jorra descontrolado vem dos abusos que praticamos contra a natureza humana, vem do delírio egoico que impede a consternação frente aos pés descalços de tantos caminhantes. Sangram os pés por falta de proteção. O menino sem mãe tinha pai e não tinha. A mulher sem marido tinha filhos e não tinha. Os jovens na calçada tinham sonhos e nem sabiam. Ninguém comunicou a eles da maneira correta. Apenas vozes se misturaram às vozes interiores e não trouxeram significado. A surdez emocional é fruto da embriaguez de ausências. Não somos nada por temor, amigo. Temos medo de conhecer a nós mesmos.

A notável escritora Nélida Piñon, ao comentar a frase inscrita no santuário de Delfos, na Grécia antiga, difundido por Sócrates, assim escreveu:

A sentença convence-nos de que o homem tem condições de visitar o templo da alma, de percorrer suas salas como se estivesse em um museu, assim podendo, no final desta inspeção, decifrar os próprios mistérios, o tumulto das suas emoções e os sentimentos que leva encarcerados no peito.

A frase é *Conhece-te a ti mesmo.* Viagem necessária e dolorosa. É o que diz a escritora, um templo da alma, um museu tumultuado de emoções e sentimentos. Um recordar para perceber o que ficou pelo caminho por decisão ou imposição. Somos o que resolveram por nós ou o que ousamos ser? Agimos embalados por emoções precárias que nos garantam algum aplauso ou intrigamo-nos com a descoberta da verdade que se esconde dentro de nós com porta cerrada aos apressados?

Amigo, um medo contemporâneo que me instiga muito é o medo que temos de nos conhecer. Agimos por impulso para que a ação não seja filha da reflexão até porque a reflexão nos impede de muitos mimos de que não queremos abrir mão. Fazemos o que nos torna menores por preguiça de nos elevarmos ao nosso devido lugar. A nós compete essa posição. O convite é para o melhor lugar possível e mesmo assim nos emporcalhamos de quinquilharias por medo da frase *Conhece-te a ti mesmo.*

É interessante como as pessoas não têm tempo para ficar sozinhas. Vivemos em uma sociedade barulhenta. Mesmo quem vive só, quando entra em casa acessa todo tipo de barulho. A televisão, o som, o computador, o telefone, os problemas que não encontram tempo de decantação para que se resolvam. A carência faz com que falemos de tudo com todo mundo e pensemos em nada sobre o que temos de decidir. E decidimos em busca do aplauso alheio e não como uma resolução de quem visita o templo da alma, o museu das emoções.

Sócrates e Platão influenciaram um dos maiores pensadores da Idade Média, Agostinho de Hipona. Filho de uma mãe fervorosa, Santa Mônica, que pacientemente rezou pela conversão do filho e do marido. A filosofia do filho o afastava do cristianismo por considerar ingênua a fé; seu ceticismo, entretanto, chega ao fim quando conhece Santo Ambrósio e fica fascinado com a simplicidade e a verdade de seus sermões. Convertido, Agostinho torna-se um dos grandes defensores de Cristo e de sua verdade. Busca na vida contemplativa a revelação cristã e no amor a essência da substância divina. Em *Confissões*, ele revela:

Tarde Vos amei, ó Beleza tão antiga e tão nova, tarde Vos amei! Eis que habitáveis dentro de mim, e eu lá fora a procurar-Vos! Disforme, lançava-me sobre estas formosuras que criastes. Estáveis comigo, e eu não estava convosco!

Padre Fábio, Agostinho era um desses jovens sentados na calçada, descrentes de qualquer outra coisa a não ser do prazer errôneo daquele momento. Sua mãe não desistia do dizer, do sentir e do acolher. Sua teimosia chega ao fim quando ele é tocado pelo amor de Deus. E sua oração vem dessa confissão de vida,

Eis que habitáveis dentro de mim, e eu lá fora a procurar-Vos!

É a mesma reflexão do Oráculo de Delfos, o conhecimento interno. É tão óbvio que temos de nos conhecer. Por que será que temos esse medo? Será que é o passado de coisas erradas que nos assombra? Os assombros mentirosos nos corroem a ponto de exigir de nós o não pensar? Ou temos medo do futuro? É o passado ou o futuro que nos traz mais medo? O passado com os seus esconderijos. Pessoas que machucamos, vitórias indignas que comemoramos; indignas, porque injustas. Agostinho falava do princípio da não contradição: *é impossível ser justo comigo mesmo quando sou injusto com o outro*. Temer o passado é não perdoar a nossa imaturidade quando das escolhas erradas. A palavra, depois de pronunciada, não mais nos pertence, mas pertence a nós a decisão de pedir perdão. Magoamos o outro quando partimos sem explicação, talvez porque não haja explicação para a partida. É apenas um engodo de liberdade. Magoamos o outro quando o usamos por interesse apenas, e não por partilha poética de vida.

Amigo, quantos pseudoamigos surgem por aí, ávidos pelo que temos a oferecer, eles roubam instantes preciosos e no instante seguinte partem sorrindo, sorriso frouxo que mais esconde do que revela. Tristes interesseiros fadados à solidão. Buscam no dinheiro ou no brilho alheio o travesseiro para o sono acomodado. E assim vão de galho em galho como macacos atabalhoados sem tempo para despedir do que já usufruíram. São como urubus cujo voo é desperdiçado pelas carniças alheias que se avistam abaixo. É de altura que precisamos. E a altura está dentro de nós. Altivez! Dignidade. Amor próprio e amor ao outro. E isso vem quando vencemos o medo de nós mesmos e nos conhecemos melhor.

O medo do futuro também é obstáculo para a autorreflexão. Tememos o amanhã como um monstro que haverá de destruir o que aquinhoamos. Cada parte do que somos será consumida pelo tempo implacável e por isso não pensamos no futuro. O melhor é viver e não pensar, dizem alguns. Ora, não há como viver plenamente sem pensar. É o futuro que rega o florescer do presente. E cada um percebe em seu tempo o tempo de desabrochar. Medo da impotência que perturba tantos homens - que medo é esse de decepcionar a fêmea? A fêmea ou a si mesmo? A si mesmo ou aos amigos ávidos de viver as aventuras pelas aventuras alheias. Ora, mas é só mentir e inventar casos e acasos e contar vantagem - o problema é que mentir para si mesmo é mais complicado. Medo da impertinência, da frigidez, da pele caída ou das caídas tantas que haverão de nos machucar.

Voltando à nossa querida Nélida Piñon, ainda menina ela descobriu o ofício que a imortalizaria:

Mas, com oito anos, proclamei-me escritora. Não sei, porém, em que instante, e de que abrigo, saiu mais tarde esta outra escritora, que sou eu hoje, que aspirava abarcar os seres e os enigmas. E que, reconhecendo o trato difícil com as coisas, empenhava-se em ir além do visível, do possível. De onde terá vindo ela para resistir às formas convencionais que não aceitam retoques? Penso que esta escritora, exigente, e em estado de vigília, foi consolidando-se com a reflexão, com a experiência, com as manhas e as seduções do próprio ofício.

É isso, amigo, é preciso ser exigente com as nossas imperfeições e com o nosso comodismo. Não podemos ficar deitados em busca de escravos dos nossos desejos e apetites. Urge que vençamos o domínio fácil daqueles que nos servem e usam de nós como peça de decoração. Não estamos aqui para decorar ou embelezar o museu alheio. Estamos aqui para exaurir as nossas forças na decisão consciente de não ter medo dos monstros que habitam os nossos próprios museus. São nossos. Criados por nós mesmos ou por outros. Mas são nossos. São os traumas que carregamos. As decepções. As tristezas. Os fracassos. As mesquinharias. Tudo nosso. E não há como escondê-los embaixo de um tapete enfeitado que agrade o nosso visitante. O tapete há de rasgar a qualquer momento, padre Fábio, e há de revelar o que não limpamos simplesmente por medo de ficarmos a sós conosco mesmos. Evidentemente, não há só sujeira. O nosso museu interior nos revela imagens preciosas do quanto servimos ao outro, do quanto amamos, do quanto nos emocionamos com cenas delicadas da vida que emprestaram poesia ao nosso sonho e que acalentaram o nosso convívio. É o que somos: perfeição e imperfeição, dualidade. E a vida madura talvez seja a incansável busca em fazer com que as virtudes vençam os vícios e que o museu esteja, enfim, digno de ser visitado. Nada de enfeites, nem disfarce. Limpeza. A sós conosco mesmos, somos capazes de nos limparmos para que o odor desagradável não desagrade nem a nós nem aos outros.

Ninguém gosta de ser usado, amigo. E ninguém de fato gosta de ter usado alguém. É isso mesmo, ninguém usa o outro impunemente e quem nos pune é a nossa própria consciência. Lá dentro, sabemos que são as trocas, as mãos dadas, a alteridade que nos conferem dignidade.

Fico imaginando os filhos da mulher do cálice de sua carta. Abandonaram a mãe, resolveram, sem ela, o destino dela. Violaram os preceitos sagrados do cuidar e simplesmente disseram adeus. Interesseiros, amigo. Usaram da mãe quando precisaram e partiram depois que o leite havia secado. Não quero julgar, mas a cena que você magistralmente descreve, dói. Uma mulher com um cálice brindando um outro cálice sem ninguém, em latente espera. Ela com sua bebida e solidão, aguardando um futuro sem flores. Roubaram o seu jardim. Claro que ela também permitiu isso. O outro só rouba o que somos, porque não somos vigilantes. Pegam-nos desprevenidos porque não arrumamos tempo nem coragem para nos prevenir.

O futuro não nos trará medo se soubermos que ele é parte do presente. E que, perto do fim, talvez digamos como Wittgenstein de quem já falamos:

Diga aos meus amigos que tive uma vida maravilhosa.

Ter uma vida maravilhosa é ser bom. Isso foi afirmado por vários pensadores, mas Kant vai além. Ser bom é viver esse *imperativo categórico*:

Age de tal maneira que o motivo que o levou a agir possa ser convertido em lei universal.

Padre, o que nos dá dignidade, o que faz com que nossa vida seja maravilhosa, é a consciência de que o que fazemos poderia ser uma lei universal. Sei que isso é difícil até porque nos escondemos o tempo todo. E isso faz com que não emprestemos ao outro o nosso quinhão de amor. Entre os mais de duzentos tipos de macacos que foram identificados pela zoologia, não há sequer uma espécie cuja vida seja isolada. Quanto mais o ser humano.

A nossa dignidade vem da troca que estabelecemos com as outras pessoas, vem da capacidade de amar, de dar. Já falamos sobre isso em São Francisco de Assis, mas é preciso insistir, a felicidade está na ação, não na omissão. É o ato de dar que nos engrandece, não a espera do receber. Podemos e devemos receber, inclusive porque o outro tem de dar. Mas é o movimento do dar que é a marca da nossa dignidade humana.

Certa vez um pai desolado queria saber o que fazer para conquistar o seu filho. Falava-me dos mimos com que presenteava o rapaz de 18 anos. Do dinheiro, das viagens, do carro novo. E nada havia que os aproximasse. O pai irritava-se com o cabelo mal penteado, o *piercing*, o jeito amalucado do filho. Diálogo não havia. Apenas cobranças e indiferença. O filho no seu mundo, um rico pobre mundo. E o pai assistindo ao esforço vão de um terreno que não haveria de proporcionar colheita alguma.

Minha sugestão foi simples: peça ajuda ao seu filho, deixe que ele o ame, que se sinta importante em alguma coisa. O pai achava impossível que o filho tivesse alguma coisa a lhe ensinar. Era arquiteto. O filho estudante de arquitetura. O pai dizia que o filho era um mau estudante, incompetente, ausente. E eu insistia, deixe que ele lhe ensine alguma coisa. Decerto ele entende mais do que você de tecnologia. Quem sabe algum projeto que você esteja fazendo; mostre a ele alguma dúvida, diga que depois de certa idade é difícil ver a roda quadrada. E quem sabe isso seja possível em um projeto. Arquitete uma nova relação.

Depois de alguma negativa, o pai tentou. E conseguiu na primeira tentativa. O filho sentou-se com ele para ensinar um tipo de programa que o ajudasse no tal projeto. O pai contava-me a alegria do filho e desmanchava em elogios ao menino. Simples assim mesmo. O filho tem que ter espaço para amar. Ele tem que se sentir capaz de dar alguma coisa a alguém. Receber, apenas, faz mal, muito mal. Por isso falamos tanto na infelicidade dos avarentos, dos mesquinhos. Quem apenas recebe e não experimenta a entrega não consegue ser feliz. Por que será que aquele arquiteto famoso conseguia com muito mais facilidade projetar obras grandiosas do que arquitetar um bom convívio com o fruto do seu amor?

Padre Fábio, essas cartas despretensiosas têm me ajudado a fazer essa viagem pelo meu templo. Quando leio o que você escreve, e quando escrevo, tento refletir sobre o que modestamente podemos dar um ao outro e aos outros. Respostas prontas, já descartamos desde o início. Longe de nós a pretensão de pontificar verdades. Apenas revisitamos o nosso museu e partilhamos o que achamos que conhecemos.

Cartas sempre foram usadas por escritores dos livros e dos sentimentos da vida. Mário de Andrade escreveu mais de sete mil cartas. Algumas dóceis, outras revelando mágoa; algumas recheadas de filosofia, outras de sentimentos mundanos. Com Manuel Bandeira, a delicadeza no desfraldar dos sentimentos de amor que Anita Malfatti sentia pelo amigo Mário de Andrade:

O que lhe contaram de Anita não era intriga. Ela está apaixonada por você e esperava que você se definisse. Escreveu-lhe uma carta em outubro falando claramente no assunto e não tem resposta de sua parte. Está agitada e balançava entre: amor próprio ofendido, se você não recebeu a carta e não quis responder; e apreensão, de que a carta tenha ido para outras mãos que não as suas.

Cartas de amor de Sóror Mariana do Alcoforado, que se apaixonou e se entregou ao soldado francês. A linda menina de Portugal quase morreu de tanto amor; de tanto desprezo. As cartas suavizaram os seus sentimentos e presentearam a literatura com o descortinar erudito do esconderijo humano. Havia inconformismo pela partida do soldado e pela ausência de notícias de amor. E conformismo por um sofrimento que tardaria a partir. Assim ela encerra a primeira de tantas cartas.

Se tens algum interesse por mim, escreve-me em seguida. Mereço que tu me consideres suficientemente para que me ponhas ao corrente do estado do teu coração, da tua sorte. E sobretudo, vem me ver.

Adeus! Já não consigo largar este papel. Ele estará entre as tuas mãos. Eu queria ter a mesma felicidade. Pobre de mim! Insensata que sou, pois bem percebo que isto não é possível. Adeus! Não posso mais. Adeus! Ama-me sempre e faze-me sofrer ainda piores males!

Cartas indignadas de Rousseau ao arcebispo de Paris, Christophe de Beaumont:

A maior parte dos novos cultos se estabelece pelo fanatismo e se mantém pela hipocrisia; daí segue que ofendam a razão e não conduzam à virtude. O entusiasmo e o delírio não raciocinam; enquanto duram, tudo se aceita e pouco se regateia sobre os dogmas. E, além disso, é tão cômodo! Custa tão pouco seguir uma doutrina, e custa tanto praticar a moral, que, aderindo ao lado mais fácil, a falta das boas obras é compensada pelo mérito de uma grande fé.

E explicando a felicidade, como resultado da prática moral, prossegue:

O objetivo da vida humana é a felicidade, mas quem de nós sabe como atingi-la? Sem um princípio, sem uma meta segura, vagamos de desejo em desejo, e os que conseguimos satisfazer deixam-nos tão longe da felicidade quanto estávamos antes de obter qualquer satisfação. Não temos uma regra invariável nem na razão, à qual faltam sustentáculo, apoio e consistência, nem nas paixões, que sem cessar se sucedem e se destroem mutuamente. Vítimas da cega inconstância de nossos corações, o gozo dos bens desejados só abre caminho para penas e privações; tudo o que possuímos só serve para nos mostrar o que nos falta, e, por não saber como se deve viver, morremos todos sem ter vivido.

Razão e paixão. Já falamos sobre isso, não é? Duro e necessário convívio. O que nos satisfaz hoje pode não nos satisfazer amanhã. E se for apenas satisfação será vício. Necessidade que exige outra necessidade e nada mais.

Cartas, amigo, que embalaram e que embalam quem tem algo a dizer. E não há ninguém que não tenha nada a dizer. Talvez nem diga; mas que tem, tem.

Porém, antes de dizer, é preciso viver. E viver é sofrer. E aí é que volto ao medo do estar só. Apesar da necessária convivência, é na solidão dos nossos dias que reverenciamos o nosso passado e nos felicitamos com as perdas necessárias e com os erros acontecidos. Imagino o Bruxo do Cosme Velho, Machado de Assis a sós, lembrando-se do passado enlaçado com Carolina, depois de sua morte. Sua lembrança já estava na homenagem poética:

Querida, ao pé do leito derradeiro
Em que descansas dessa longa vida,
Aqui venho e virei, pobre querida,
Trazer-te o coração do companheiro

Machado sofria a ausência da amada e sorvia o passado em que contemplaram, juntos, a lida dura e bela do convívio diário. Lembrar o amor que se foi dói menos que não ter ninguém para lembrar. Especialmente quando, ao amor que partiu, não se economizou no dizer e no fazer amar. Casamentos que se findam com a morte depois de uma vida em comum. O triste adeus, o lado vazio da cama, o travesseiro intacto e a lembrança. O cheiro persiste em ficar por algum tempo do pouco tempo que ainda resta. É a morte previsível, em dia imprevisível, nos separando. Uma parte vai, outra parte fica. O passado com as lembranças boas e os remorsos. O que faltou? O futuro com a ausência. O caminho com as mãos soltas, desenlaçadas não por opção, mas por imposição das circunstâncias.

É assim que dizia em versos Vinicius de Moraes, em seu *Poema de Natal*:

Para isso fomos feitos:
Para lembrar e ser lembrados
Para chorar e fazer chorar
Para enterrar os nossos mortos –
Por isso temos braços longos para os adeuses
Mãos para colher o que foi dado
Dedos para cavar a terra.

Ou Cecília Meireles, em *Retrato*:

Eu não tinha este rosto de hoje,
Assim calmo, assim triste, assim magro,
nem estes olhos tão vazios,
nem o lábio amargo.

Amigo querido, quem nos dá essa amargura no lábio ou essa vagueza nos olhos não é o tempo, mas o que fazemos com ele. Embrutecemos porque negligenciamos a nossa essência. Não é possível dar ao outro mais poder do que o outro tem. Não é correto nos apequenarmos diante das recusas e dos desprezos de terceiros. Quero voltar à mulher abandonada com a taça de vinho. Os filhos partiram, mas há outros. Sei que não é fácil. Reinventar é desafio para os fortes. E essa força existe. É a força da qual Sócrates falava quando insistia no conhecimento que temos de ter de nós mesmos. Talvez no início estranhemos o exercício do pensar. Talvez sintamos dor pelo desuso desse humano talento, talvez queiramos desistir porque a vista da varanda é mais confortável do que o preparo da terra para que o broto vire flor. É mais confortável e menos rejuvenescedor. O rosto de Cecília, calmo, triste e magro, é apenas a metáfora de um tempo em que nos entregamos ao tempo sem ousar desafiá-lo. Temos as armas para isso, amigo, e elas se encontram aqui. Aqui onde Nélida chamou de templo ou de museu; onde Agostinho chamou simplesmente de *dentro de mim*.

É esse o convite que lhe faço e me faço no final dessa conversa. Vencer o medo de estar a sós com os retalhos da nossa tessitura, com os cacos de nossas desconstruções. Sozinhos, mas não sozinhos, porque o Amor vive em nós e haveremos de rearrumar a casa e abrir os salões do acolhimento para que sejamos visitados, frequentados.

É o paradoxo da vida mais uma vez nos surpreendendo. Precisamos da presença do outro e da sua ausência. Precisamos dos sons que habitam o cosmos e do silêncio. Sozinhos e silenciosos estaremos aptos para aplaudir, acompanhados, a nova sinfonia.

Com muito carinho,

Gabriel

Décima sexta carta

"Há poema mais bonito
que um gesto de amor?
Até os iletrados são
capazes dessa literatura."

Meu querido Gabriel

Adentrei meu templo. Suas palavras me conduziram. À medida que elas atingiam minha compreensão, meus pés reconheciam um território novo, delicado, à espera de conquista. Eu, em busca de mim mesmo, como queria Sócrates. Eu, sendo o que sou, mas diante da possibilidade de tornar-me outro, assumir-me com mais plenitude. Eu, ser em estado de vir a ser, como tão bem intuía a metafísica aristotélica. Eu, potência de um lugar que ainda não me tornei porque ainda não ousei ir buscar.

Nélida tem razão. A excelência humana só pode ser alcançada através da reflexão. O pensamento é o instrumento condutor da mudança. Por meio dele podemos experimentar seu poder de nos retalhar a alma, investigá-la em seus contornos, disfarces e verdades. O pensamento e a reflexão são os grandes responsáveis pelas superações que protagonizamos.

No ofício de descrever os sentimentos do mundo, Nélida precisou receber retoques, processo natural de quem se deixa levar sem medo nos braços do grande e determinante pedagogo: o tempo. Ele e seu jeito tão próprio de ser e agir, e nós, com nossas atribuições tão específicas. Ele e sua sina de não permanecer, porque só conhece o destino de seguir. Nós e nosso desejo de fixar raízes, de prolongar o gozo do abrigo, da predileção, dos vínculos, porque sofremos de uma indigência original que nos foi legada.

Meu querido amigo, o tempo é o invólucro da existência. Tudo o que fazemos e sentimos por ele é perpassado. Grandes medos nascem dessa condição. É natural que seja assim. Afinal, ele não sabe parar, não sabe retroceder. Lidamos com esse limite, e isso nos assusta, nos amedronta. O amor que sinto e alimento está nas mãos do tempo. A criatura amada anda nos trilhos assustadores por onde deslizam seus vagões pesados.

A mãe acompanha feliz os primeiros passos do filho, mas sabe que essa autonomia será também causa de preocupação. A criança presa aos braços ameniza o medo da perda, mas o movimento do tempo, expressão concreta em ossos que se desenvolvem, corpo que vai ganhando volume e destreza, é imperativo que ordena um novo jeito de cuidar. O tempo se mostra com seu poder de adoção, e a mãe, sem ter como negar, entrega-lhe nos braços o filho que até então pensava poder proteger por todo o sempre.

O tempo e seus intervalos. O medo cabe em todos eles. Quando obedecemos ao vermelho do sinal que nos pede parada, imediatamente nos fechamos em nossos carros, crentes de que vidros indefesos nos protegerão do medo que sentimos. O menino e seus malabarismos tão cheios de erros não nos encantam, ainda que estejam tentando nos fazer sorrir. A roupa de palhaço, a purpurina improvisada, brilho que se mistura ao suor de quem sente a concretude da dureza da vida. Filhos que não sabem por onde andam os seios que os amamentaram. Meninos e meninas. Eles também estão com medo. Temem que nós não os reconheçamos como artistas que merecem aplauso, moeda de pequeno valor, que condensa a metáfora de um reconhecimento temporário, valor que não compra a felicidade esperada, a vitória que nunca chegará.

Em pequenos intervalos estão grandes medos. Outro dia encontrei uma senhora na sala de espera de um consultório médico. Os olhos revelavam uma apreensão imensa. Ela tinha um resultado de exame nas mãos. Era a confirmação, ou não, do câncer do filho. O intervalo curto da espera era discrepante perto das demoras da alma. O destino do filho estava oculto em expressões que ela desconhecia. O jargão do amor não é o mesmo da medicina. Ela me olhou com calma e pediu que eu rezasse para que não fosse nada, que tudo não passasse de um engano. Não houve tempo para orações. Ao sair do consultório, ela se limitou a balançar a cabeça em minha direção. As lágrimas eram silenciosas. As mãos trêmulas anunciavam que o duelo com o tempo estava estabelecido. De um lado, ela, a mulher com o filho nos braços. Do outro, ele, o tempo com seus dentes de aço, pronto para devorar a carne, que é morfologia do amor sentido, experimentado. A mulher corria na direção de seu carro. O exame nas mãos era uma sentença de morte que ela teria de comunicar ao seu menino. Tinha em suas mãos um curto intervalo de tempo. O tempo de chegar em casa e anunciar que o inesperado destino de morrer antes da hora se cumpriria. Meu amigo, morte não combina com juventude, corpo cheio de viço, destreza de andar longas distâncias. Aquela mulher sabia de tudo isso. A contradição estava embrulhada naquele pequeno envelope de papel timbrado. O pequeno pedaço de papel era a casa de uma verdade não desejada, e só aquela mulher transitava pelos cômodos tão cheios de susto e escuridão.

O pequeno intervalo haveria de ter um fim. A palavra seria pronunciada. Teria de olhar nos olhos de seu menino e em intervalos de outros novos tempos decorar-lhe as feições, movida pelo desejo simples de nunca mais esquecê-lo. O tempo e seu poder de determinar partidas e chegadas, assim como o inverno se oculta em lugar que desconhecemos para que reine soberana a estação das flores.

Ao entrar no consultório, notei que o médico também sofria seu intervalo de medo. Ele estava desconcertado. Eu o olhei sem medo de que percebesse também meu desconcerto. Ele se encorajou para me contar que não tinha sido fácil dar aquela notícia. Fiquei pensando no intervalo de seu medo. Abrir o envelope e identificar que a ampulheta já estava virada. Saber só, mover-se em solidão no conhecimento não dividido, aptidão médica de saber identificar as consequências dolorosas que estão escondidas em termos técnicos.

O médico e seus medos contidos. Esbarrar na morte, na esperança da vida, nos recursos existentes ou no fim já anunciado. Sentir na solidão do peito a palavra que não está pronta, mas que precisa ser dita. Olhar nos olhos da mulher tão cheia de ansiedades e ter de dizer que seu filho morrerá em breve. Que não há nenhum endereço a ser buscado, porque o tempo já não permite mais ter esperanças.

Dizer o quê, meu querido amigo? O que fazer nessa hora? Que palavra buscar, senão o abraço solidário, o choro que nos congrega e nos coloca no prumo do mesmo medo?

Tenho medo de ser hipócrita. Tenho medo de simular uma coragem que não possuo, uma resposta à qual não dê crédito. Medo da palavra que finge caridade, que simula acolhimento, quando na verdade o que existe é total e vergonhosa indiferença. Tenho medo de fingir uma fé que não professo. Realizar um rito que não me envolve, que não me devolve, que não me transforma e que por isso não me oferece aos outros.

Meu amigo, talvez seja por isso que eu ame tanto a poesia. Ela é um lugar especial onde as verdades humanas se mostram sem máscaras. O medo da dor, da solidão, da morte, da perda, tudo está tão à mostra nos manuscritos confessos. O poeta e sua revelação. A vida crua, real, ainda que em palavras. O poeta e sua transfiguração. Nele e a partir dele a humanidade alcança a hermenêutica, como se o fogo da verdade fosse novamente retirado do Olimpo e entregue aos homens. A poesia ameniza o peso dos medos, porque o amor resolveu fazer sua casa nos terrenos da linguagem poética. Há poema mais bonito que um gesto de amor? Até os iletrados são capazes dessa literatura.

Meu caro amigo, recordo-me de já ter abordado essa questão em nossas cartas. O amor é o recurso que pode nos libertar dos medos. Saber-se amado é como ser recolhido em um poema. A palavra que ganha a confiança do poeta por ele se sente amada. Ela foi escolhida entre tantas. Tornou-se sagrada, porque foi retirada do lado de fora. Era profana, estava fora do templo da poesia, mas o poeta a elegeu. Com ela adentrou o templo santo de sua escrita.

Teresa de Calcutá sabia disso. Buscou a natureza dos gestos poéticos e a desdobrou na caridade. Escreveu poemas em pernas doentes, desenhou versos em feridas abertas, e em leprosos repugnantes fez literatura gestual. Amou sem medidas, espantou o medo, sorriu ao mundo um sorriso puro, simples, casto, santo. Teresa nos socorreu de muitos medos. Nela nutríamos a esperança de um mundo melhor. Naquela mulher de pequena estatura o mundo se redimiu de muitos de seus pequenos medos. Acho interessante isso, meu caro Gabriel. A redenção que o Cristo realizou na história continua acontecendo através de pessoas que o encarnam no tempo. Nisso consiste o seguimento cristão. Teresa foi outro Cristo. Descobriu Nele um elo de continuidade. Atou suas esperanças no calvário de sua dor passada, no sacrifício que a história nos conta, e por meio de sua atuação presente redimiu as dores dos calvários de seu tempo. Ela redime porque foi também redimida. Não age no impulso de seus motivos humanos, mas atualiza no hoje da vida a graça de Deus recebida. Graça sobre graça!

A boa poesia segue no mesmo caminho, vive da mesma mística. Adélia Prado é socorro constante para os meus medos, assim como Teresa o foi para os medos do mundo. Toda vez que a reconheço confessa, humana, convencida do direito de chorar a menor de todas as mazelas, eu me encorajo para o mesmo. Adélia é religiosa. É texto que eu gostaria de proclamar no altar do meu rito, ao lado dos textos santos que fazem parte da tradição cristã. Ela também tem elo com a graça de Deus. É filha da natureza poética, assumiu na carne o ofício de desvendar as maravilhas da terceira margem, como tão bem sugeriu Guimarães Rosa.

Gabriel, a experiência poética é naturalmente religiosa. Ela desafia a cronologia. É o momento humano em que verdadeiramente esquecemos o tempo que nos envelhece e os intervalos que nos amedrontam. A poética nos resgata, nos redime, porque nos empresta um olhar diferente sobre o cotidiano que tem a pretensão de nos matar. É por isso que necessitamos tanto resgatar a natureza dos gestos poéticos. A vida só é suportável quando depositamos nossos pés sobre a seda suave de proteção que a poesia nos oferece.

O embate contra o tempo nos desgasta, e a melhor forma de vencê-lo é esquecendo-o. Como? Também quero aprender. Ensaio alguns movimentos de aprendizado. Aprendo na prática, no momento em que rezo o canto que está afetado pela sensibilidade do poeta. Aprendo no momento em que olho para a história de Teresa e nela descubro motivos de felicidade que não cabem no relógio que levo em meu pulso. Aprendo no momento em que sofro o impacto de um texto que não me deixa perceber a realeza do tempo. Aprendo no concerto a que assisto, na voz que não me permite olhar para o relógio, na harmonia que me faz superar a prevalência das desarmonias do mundo.

Aprendo toda vez que escuto a preciosa composição de Cristóvão Bastos e Aldir Blanc, "Resposta ao tempo", a canção que considero a mais bela de todas as canções de nossa riquíssima música popular brasileira. O poeta descreveu de maneira muito interessante a luta contra o tempo. Um diálogo de afrontas, mas todo perpassado pela força da riqueza poética. De um lado, o poeta e sua tentativa de vencer seus limites que a cronologia lhe impõe. De outro, o tempo e suas invejas e insultos.

Respondo que ele aprisiona e eu liberto. Que ele adormece as paixões e eu desperto. E o tempo se rói com inveja de mim. Me vigia querendo aprender, como eu morro de amor pra tentar reviver!

O último verso está cheio de contradições. Lindas contradições. Morrer pra tentar reviver. É o que fez Jesus, e o que aprenderam Teresa e Adélia. A morte diária, cotidiana, que o amor reclama. A morte que há na doação e que tem a vida em seu avesso. O tempo burlado, enganado, esquecido, neutralizado em seu poder de nos colocar tantos limites. O *khronos*, tempo que passa, transformado em *kairós*, tempo que permanece. A lição difícil que a mulher precisa aprender para que o filho não morra antes da hora. Para que o envelope e seu trágico diagnóstico não a impeçam de viver intensamente o tempo que lhe resta.

Certa vez encontrei uma moça deprimida com o câncer do pai. Ela me contou que o diagnóstico recebido lhe dava apenas três meses de vida. Já haviam se passado dois meses, em que ela viveu trancada em seu quarto, mergulhada em uma tristeza sem fim. Eu a questionei: "Você tem três meses ao lado de seu pai e escolheu passá-los trancada em seu quarto? Não seria melhor você entregar a seu pai sua melhor parte nesse tempo que lhe resta? Quantas pessoas não têm essa oportunidade! Perdem as pessoas que amam sem mesmo terem tido a chance de uma última palavra...".

Ela me olhou assustada, como se tivesse acordado para uma nova forma de enxergar o mês que lhe restava. Eu lhe pedi que mudasse a frase. Em vez de dizer: "Só tenho um mês ao lado de meu pai", ela diria: "Ainda tenho um mês para amar e ser uma boa filha!". Ela aceitou o desafio. Encarou o tempo que lhe restava como *kairós* e assim minimizou o peso do *khronos*. Aqueles últimos dias foram dedicados aos gestos poéticos. O cuidado, o amor, o carinho fizeram com que as metástases não ultrapassassem os limites da carne. Elas deixaram de atingir a alma.

Gabriel, muitos medos nascem desses intervalos curtos que nos restam. O fechamento no quarto foi uma resposta ao medo. Ela não queria assumir a realidade. Queria fechar-se em seu mundo. Queria negar a partida anunciada. Mas aquele gesto reafirmava ainda mais o poder opressor do tempo. Não sabemos quanto tempo ainda nos resta...

Essa incerteza não pode ser motivo de medo, mas nos sugerir um novo posicionamento. Olho para minha mãe e concluo quanto eu a amo. Não sei quanto tempo ainda poderei tê-la sob o alcance dos olhos. Isso não me desespera, mas me coloca em estado de alerta. Não posso deixar o amor para quando amanhecer o dia. Não sei se ainda me restará outra manhã, outra oportunidade para amar. Por isso, amo no tempo que tenho.

Amar é o mesmo que exercitar-nos na simplicidade. O amor não complica, porque seu único desejo é resolver. Ele nos conduz ao contexto de um querer simples, despretensioso, porque não sabe outra coisa senão nos ajudar a enxergar o único necessário.

O caminho dessa simplicidade não é fácil. Requer lutas, requer combates. Gabriel García Márquez demonstrou isso ao dizer:

Tivera que promover 32 guerras, e tivera que violar todos os seus pactos com a morte, e fuçar como um porco na estrumeira da glória, para descobrir, com quase quarenta anos de atraso, os privilégios da simplicidade.

A frase se refere ao célebre personagem Aureliano Buendia, do seu romance *Cem anos de solidão.* Aureliano amargurou uma solidão terrível ao longo da vida. O contexto da obra é a solidão partilhada. Sina que a família carregava sobre os ombros.

Meu querido amigo, há uma questão interessante nessa obra de García Márquez. Os nomes se repetem ao longo da história da família. A continuidade da solidão e da prevalência da poeira do tempo. Uma espécie de maldição que não pode ser quebrada. Sugestivo, não é mesmo? Parece ser a leitura de nosso tempo, quando percebemos que herdamos e legamos a solidão. Com ela vem o medo. Do tempo, de seus pequenos intervalos e das ausências que não podemos preencher em nós mesmos.

O que nos resta? A natureza dos gestos poéticos. Revestir a vida de ternura e encanto. Quem sabe assim a gente possa reestabelecer uma nova ordem, um novo tempo. Macondo é o lugarejo onde os “cem anos de solidão” são contados. Macondo parece sugerir um lugar que ainda não existe, mas que pode ser construído, assim como o ser que somos em potencial pode ser transformado em ato.

Queiramos Macondo, assim como Manuel Bandeira quis Pasárgada. Queiramos a construção de um lugar que não é material, mas que tenha o poder de gerar uma nova postura humana, que nos congregue, que nos fortaleça para a aventura do autoconhecimento. Queiramos a poesia, o templo da reflexão, o uso da razão, o socorro do bom senso. Só a reflexão nos devolve o poder de retroceder no tempo. Só ela nos faz lançar luzes sobre o vivido. Só ela nos faz chegar ao aprendizado que nos qualifica como pessoas.

Gabriel, continuamos unidos. Nos sonhos e nas realizações. Continuamos empenhados nas construções que são feitas de tijolos, mas também nas que são feitas de palavras. O importante é ser um pouco de Adélia, um pouco de Teresa. Ofícios que nascem de uma mesma fonte, mas que são exercidos em lugares diferentes. A mesma causa trabalhada a quatro mãos.

Meu amigo, quando o cansaço da vida nos abater, quando o peso do tempo insistir em nos retirar as forças, da reflexão ou da ação, sugiro que você se recorde da definição bonita que o poeta encontrou para dar ao tempo, na conclusão final da música que mencionei.

No fundo é uma eterna criança que não soube amadurecer.
Eu posso e ele não vai poder me esquecer!

Sigamos. Esquecendo e recordando.

Vencendo no que podemos. Perdendo do jeito certo!

Sempre.

Com minha bênção,

Pe. Fábio

Décima sétima carta

"É na simplicidade
que nos entregamos
e que partimos curiosos
para a contemplação.
Antes e depois. O céu
começa aqui e se plenifica
depois. A simplicidade
do amor antecipa o que
haveremos de viver."

Querido padre Fábio

É este tempo beneplácito e impiedoso que nos atormenta. O tempo da espera, ansioso e cruel. A espera pelo navio que naufragou. A espera pelo avião que caiu. A espera pela semente que não germinou. A espera pelo futuro que traiu.

Amigo querido, você fala poeticamente do tempo e eu falo de sua espera docemente transformada em esperança.

Os parentes estavam no porto esperando o navio. Na confusão das conversas, pausas para sorrisos despreocupados. Uma ou outra novidade. Um ou outro reparo, em vida alheia. Fatos corriqueiros. Mulheres cuidadosamente arrumadas, outras despreocupadas com o vento bagunceiro. Homens em círculos, contando amenidades ou vantagens. E o tempo passando. E o sol queimando esperanças com a demora assustadora. O tempo da pausa transforma as expressões. A ausência de notícias antecipa a notícia não querida. Ninguém quer o naufrágio. Nem do navio nem dos enlaces de amor e amizade que se vão, junto com ele, para o fundo inacessível do mar. O tempo na chegada não conseguiu traduzir o tempo na partida ou na jornada. A tempestade escondida das partes não poupou o meio da viagem. Ninguém poderia prever a revolta nem a angústia por não poder chegar e encontrar quem tinha esperanças.

Filhos sem pais, mulheres sem maridos, mães sem filhos, amigos perplexos. A embarcação não resistiu ao vento revolto que partiu a rigidez do casco e despiu as capas de proteção. Na hora da partida, amigo, não há como ir de mãos dadas, mesmo que outras mãos partam junto.

O adeus é solitário. A morte nos convida a ir sozinhos. Um convite que não aceita recusas. E vamos do jeito que viemos. Sem ouro algum. Sem título de nobreza. Sem adornos. Sem garantias. Chegamos e partimos sem nada nem ninguém. Nascemos para a novidade e morremos para a novidade. O mundo nos recebe e de nós se despede. O choro da chegada é menos prolongado que o choro da partida. Choramos de susto diante do mundo quando nos cortam o cordão umbilical. Choramos para atestar que estamos vivos enquanto outros sorriem ou até choram, mas pela emoção da nossa chegada. Quando partimos, choram eles. Não sei quantos. Mas alguns choram. Será que assistimos à cena? Será que vemos os que ficaram no momento da partida? Ou apenas algum tempo depois? Há tempo na eternidade?

Padre, a esperança é o sentimento que embala o brinquedo das nossas emoções. É a criança que abre a janela aguardando o calor para entrar no mar. Afinal, é feriado; é dia de festa e as nuvens haverão de compreender que o sol foi convidado. A esperança é menina e senhora. Menina porque ingênua. Acredita no que não se deve acreditar e às vezes acerta. É menina porque, sem vícios, não faz acordo com o pessimismo, não recorda o que quebrou. Apenas aguarda o que há por vir. É senhora porque reinventa, mesmo depois de estilhaços dolorosos que cortaram em algum tempo o tempo do sorriso. É senhora porque sabe que a beleza da vida se compreende quando os pés sangram e os olhos iluminam porque enxergam para além da dor.

A dor, amigo, a dor doída de um filho que se foi ou de um filho que irá mais cedo, partida anunciada em um exame estranho contendo coisas que não são bem-vindas, como você disse. A esperança vai e vem. Vai quando o exame é aberto e a notícia retira o brilho do futuro. E as lágrimas descem silenciosas e o luto reveste sem piedade a vida pacata. O que deverá ser feito? Outro exame? Outro médico? A notícia imediata ou ensaiada, pausada? Certo amigo preferiu que o filho, somente depois da formatura em direito, soubesse o resultado da enfermidade sem cura. Permitiu que ele sorrisse a certeza de uma carreira longa e justa. Permitiu que brincasse a sua juventude com tantos outros que estavam ali, diplomas na mão, tubos de promessa de eternidade. E chorou sozinho, disfarçando o soluço da dor no soluço da emoção. Poderia ser tudo mentira, mas não era.

A esperança vem. Depois da revelação, a cumplicidade, a luta conjunta pela prorrogação das mãos dadas, dos olhares silentes de pai e filho em busca do tempo. Esperança, amigo. Que descubram algum antídoto para a mordida fatal!

A surpresa que traz a dor traz também a resistência.

Outra amiga lamentava o destino do pai, de hospital em hospital depois de uma vida plena de muitos feitos. De um atleta a um claudicante carente de cuidados. Chorava pela dor do outro, pelo amor impotente de fazer voltar o tempo em que não havia tempo de parar. As lembranças ficaram no passado quando o quarto era mais colorido que o do hospital. Junto à dor, o acolhimento, o aprendizado, a valorização da vida.

Seria justo alguém ter de experimentar a perna amputada, o membro faltante, o andar vagaroso? Os olhos lacrados? A consciência perdida? Seria justo contrair doença sem fazer mal algum a alguém?

Volto ao pai e ao filho em dia de formatura. Eram tantos jovens ali e por que justamente o seu filho teria de dar adeus primeiro à festa, por que ele?

Padre, há muitos mistérios nesta vida. Mistérios que nos desafiam a prosseguir independentemente da paisagem que fica ao longe, mesmo sem termos a noção da chegada. Há muita surpresa. Surpreendemo-nos, entretanto, com a nossa resistência diante das rachaduras da embarcação. É o que nos resta. Lutar até o último instante para não anular a esperança.

Temos motivo para ter medo. Do outro lado da rua moram vários sentimentos que nascem de circunstâncias e que desanuviam nossa morada. Clamam um a um por alguma resposta. Aguardam a liberdade de atravessarmos e de irmos ao encontro da nossa redenção.

Amigo, quantos são os que, depressivos, desistem do verbo atravessar. Repentinamente, desistem. Sem muitas explicações, até porque explicações não há. Os sentimentos estão ali. É preciso sair, é preciso ir! Os sentimentos não podem atravessar a rua e vir ao nosso encontro. A liberdade mora do lado de cá. É a ação, não a passividade que nos revela a vida feliz. Não quero entrar nos detalhes complexos da depressão, mas essa é uma patologia que nos leva para lugar nenhum e nos deixa lá descalços. Todas as vezes que ousamos atravessar, o calor do chão nos lembra de que não estamos protegidos e novamente nos fechamos, anunciando que a esperança não quis ficar. Tem gente que não entende e acha que o depressivo é alguém com pouco trabalho; que quem tem o que fazer não perde tempo com as doenças da psique. Ledo engano, amigo. Depressão é aterrorizante. Está sempre à espreita. Em estágios mais elevados, retira o sabor da vida e algumas vezes a própria vida. A síndrome do pânico também mora nos porões do medo que nos garantem o que não existe. Imaginamos o fim, quando estamos no começo ou no meio. Sofremos pela desconstrução do que é sólido, agasalhamo-nos no calor e saímos imersos em capas e sombrinhas em dias de tempo bom. Por que será que não nos convencemos de que é tudo ilusão nascida de algum lugar desconhecido? Por que não decidimos imediatamente conhecer o que nos aprisiona sem grades? Não sei a resposta, amigo. Só sei que conheço gente que não quer acender a luz simplesmente porque a escuridão parece ser mais acolhedora ou porque deseja antecipar a partida. Por que partir antes da hora? E quem sabe qual é a hora?

Esperança, padre, é o que persigo na vida, ciente de que fracasso muito na compreensão do outro e na minha própria. Cobro de mim o que não consigo dar e espero que o outro me conceda o que já tenho. Teimo em requisitar explicações para dias sombrios em vez de aguardar um pouco as nuvens partirem. Sofro quando não consigo entranhar o que sei, o que ensino. Digo coisas bonitas sobre o amor porque li ou aprendi, ou percebi, e por isso sofro quando escondo em mim o amor sem ter a coragem de vencer o medo que me impede de amar. O medo não consciente que faz com que eu seja rude, tosco. Luto pela gentileza para ser coerente com a minha pregação e falho quando estou cansado.

Tenho medo do cansaço, amigo. Do cansaço da cobrança virulenta, minha e dos outros; do cansaço físico que faz com que eu brigue com o tempo que não espera o tempo necessário para que eu atenda a quem necessita. É uma briga valente exatamente porque acredito na missão. Na missão que vence o medo porque tem uma causa.

Dia desses um enfermeiro relatou-me seus conflitos internos. Disse que atendia diligentemente cada um dos enfermos que ficavam sob seus cuidados e que era criticado pelos seus companheiros por trabalhar tanto e ganhar tão pouco. Pregavam o descuido com o outro sem perceber. E ele sentiu-se insultado por ser cioso do seu ofício. Disse-lhe que o trabalho oferece pelo menos duas recompensas: a financeira e a moral. Trabalhamos porque temos de receber para viver, para construir, para zelar. E trabalhamos porque servimos a uma causa. E que causa!, dizia eu a ele. O enfermeiro acolhe quem está mais vulnerável. Ninguém gosta de ficar doente e como é bom receber o medicamento certo e a ternura que restabelecem a esperança na humanidade e no amanhã!

Volto ao medo do cansaço. Tenho medo de conviver com a miséria e me acostumar com ela; medo de deixar de acreditar na bondade do ser humano; medo de me sentir impotente diante do que corrompe e dilacera; medo de abrir mão do meu ofício de educar. E isso, amigo, seria perder a esperança. Não digo deixar de educar nas salas de aula, mas nas aulas com que a vida nos presenteia. Sofro pelo braço que estendo e que não encontra o outro, que prefere permanecer deitado. Sofro o sonho do amigo da esquina, que não aceita o meu convite de atravessar a rua para encontrarmos juntos os sentimentos.

Choro o choro compartilhado dos que saem em busca daqueles que desistiram e que vivem, sem vida, amontoados em nada. Dormem nas cruezas do abandono por imposição da decomposição da ternura, de famílias desnudadas pelo vento da agressão. Choro pelas crianças que não querem voltar para casa por medo da violência bêbada de pais despreparados para o convívio.

Choro a falta de amparo dos jovens privados de liberdade por um tempo, mas que precisam de acolhimento para a volta necessária. Choro, amigo, o medo de parar de chorar por essas veias abertas sangrentas que retratam a nossa pouca habilidade com o outro.

Evoluímos tanto e quase nada. Será que somos melhores do que os botocudos, do que os primitivos, do que os que acendiam fogo e se encantavam com o milagre do aquecimento? Será que o progresso nos aquece ou nos esquece? Quem somos nós, neste turbilhão de descobertas e informações? Quem somos nós, nesta corrida irracional em que nos iludimos em busca do troféu de campeão? Campeão em quê, amigo? Vencedores? Derrotados?

Trata-se apenas do tempo da comemoração e do esquecimento. E nada mais. Brigas inúteis pela ausência de causa.

Em alguns momentos, perco-me em divagações que expulsam de mim a esperança. Fico atormentado com o quanto que ainda precisa ser feito para a restauração da dignidade humana. Há sujeira por todos os lados, e há operários bem remunerados vigilantes para espantar os limpadores. A mentira parece ganhar da verdade e rir dela como se ri de uma criança desprevenida. A corrupção se justifica pelos usos e costumes, e as bruxas saem ávidas para caluniar os corretos. Os sujos querem dizer que os limpos alguma sujeira têm.

Tenho medo da injustiça. Meu pai me ensinou valores intangíveis em sua simplicidade. Minha mãe mostrou-me o tratado do amor em seu colo meigo. Disse-me com olhos lacrimejantes que a dor maior é não viver. Tenho saudades de cada fase da minha mãe. De voltar da escola e receber seu beijo. Das suas reclamações com meu pai. Da sua risada sem economias. Das suas esperanças.

E eu estou aqui, privilegiado pelos pais que Deus me deu, desejoso de não me acovardar, ansioso por cumprir o meu ofício.

Amigo, as mulheres e os homens recolhidos atrás das vidraças corriam menos riscos do que os que saíam em procissão nas cidades do interior. Em casa, não eram vistos nem criticados. Em casa, não eram copiados e nem rechaçados. Mas já falamos que os sentimentos precisam de travessia.

Tenho medo de me trancar em casa por achar que, na procissão, não arrasto mais ninguém. De ficar apenas no meu interior.

O medo da injustiça me apavora pouco nos arranhões da minha imagem e muito na impossibilidade de servir a causa que abraço. Não tenho medo das críticas, tenho medo da criatividade mordaz que rouba o que não tenho e que traz o que não quero.

Padre Fábio, os dons que recebi de Deus não são poucos. Aprendi com um outro pai, Monsenhor Jonas Abib, que devemos assumir os talentos que recebemos sem falsa modéstia. Deus me deu talentos. E eu não quero enterrar nenhum desses talentos. É isso que nos ensina a parábola de Jesus, que é necessário multiplicar os talentos. E é isso que tento fazer sem preguiça. Trabalho com ardor, amigo. E trabalho com respeito a essa breve jornada que é a vida. Não sou mais criança e, como você disse em uma das suas cartas, eu também envelheço a cada dia. Não tenho mais alguns sonhos de menino, mas tenho outros. Inspiro-me em alguns referenciais, pessoas que não envelhecem porque não se entregam. Lutam. Lutam bravamente pelos seus ideais. São homens e mulheres de têmpera, de brio. São escritores, prosadores, poetas, professores, sacerdotes, políticos, profissionais, amadores; são vencedores. São pais, mães, amigos, companheiros de causas; amantes da humanidade.

Padre Fábio, quando eu era criança, sonhava em ser padre. Conheci padres fascinantes e quis ser como eles. Lembro-me de que diante do sacrário, ainda menino, pedia a Jesus que eu não abandonasse a minha vocação. Queria celebrar o sacrifício, pregar a palavra, aliviar as dores, ouvir as feridas e tocá-las delicadamente para antecipar a cicatrização. Acredito, amigo, sem falsa modéstia, que teria sido um bom padre. Segui outro caminho. A política me convidou a conhecê-la. Fiquei pouco tempo e saí. Fiz-me educador e escritor. Quis conhecer o direito e encantei-me com a justiça. Voltei para a política sem deixar de escrever nem de professar a minha esperança de que é a educação a profetisa do novo mundo. Só a educação é capaz de ensinar ao homem a beleza do próprio homem; só a educação retira as vendas que cegam e enfeiam o caminhante. É preciso ver o cenário e é preciso olhar para o lado, há mais gente caminhando. Não sei o que serei amanhã. Só sei que não quero desistir da esperança. Mesmo que me acusem de utópico, de ingênuo. Antes isso do que me chamarem de comparsa daqueles que fecharam as portas da esperança. A não ser que eu sinta que tenho o poder de abri-las. Ou isso ou a partida.

Tento me imaginar daqui a dez anos, aos 50. Vejo meus confrades de 80 ou 90 anos que tanto amo e fico imaginando se terei essa graça da longevidade. Se tiver, o que farei com o tempo que me resta? Se não tiver, o que terei deixado de fazer? É o que você diz na sua carta quando fala do mês que restava àquele pai doente. O que a filha poderia fazer com o pai no tempo que lhe restava? Trancafiar-se ou sair? Deitar ou levantar? Aquecer-se nas cobertas envelhecidas ou nas manhãs ensolaradas das ruelas propícias ao encontro?

Padre Fábio, a graça de Deus é canção que nos convida a acalmar os nossos sentimentos e nos preparar para o amanhã.

Tomás de Aquino afirmava que um ato só é humano se for livre. Não quero deixar de ser livre, amigo. Não quero deixar que me tranquem em convenções e que exijam de mim o que eu não quero ou não posso dar. Quero ser assim, precário na minha humanidade, mas pleno na crença de que não vim a este mundo por acaso e que não paro por aqui. Pleno na convicção de que são as pontes, não os muros, que nos ajudam a encontrar a beleza na diferença e no amor. Viva a diferença, amigo. É nela que nos encantamos ainda mais com a criatividade do Artista maior. É em sua direção que partimos em busca de significados. É preciso buscar sempre porque sempre haverá algo a ser encontrado. Mesmo que o navio não tenha chegado.

Que triste a cena das famílias partindo sem o encontro esperado dos navegantes! Não era esse o combinado. Estavam ali para festejar, não para lamentar. As lágrimas seriam de emoção, não de angústia. Resta o consolo dos outros que também sentem. Resta a certeza de que o mar não é suficientemente forte nem fundo para negar a vida continuada. Creio, amigo, que ponto final é um recurso de gramática, obra de ficção. A vida é real. Não paramos por aqui.

O vento da liberdade é o cicerone da nossa visita. Bobagens devem ser deixadas de lado. Faz-se mister que nos libertemos dos objetos que nos aprisionam. Não quero julgar, até porque a lição de Jesus com a pecadora já me selou definitivamente. Não tenho o poder de dizer o certo nem o errado. Sou apenas um aprendiz da felicidade e, nessa escola, permito-me comungar com a certeza de que a simplicidade será o caminho mais curto para aproximar-me da Felicidade Plena, do Amor Total. Deus é a plenitude da simplicidade. Na arrogância dos nossos degraus, construídos com o sacrifício de outros, não conseguimos fazer a experiência. É na simplicidade que nos entregamos e que partimos curiosos para a contemplação. Antes e depois. O céu começa aqui e se plenifica depois. A simplicidade do amor antecipa o que haveremos de viver. E o oposto também. Os sentimentos precários como a mesquinharia, a arrogância e o trancafiamento nos impedem de contemplar o Belo que nos aguarda. E nascemos para o altruísmo. Para o êxodo e o êxtase. Quanto esconderijo desnecessário.

Tenho medos, amigo; mas tenho esperanças. E é a essa chama que me entrego para que consuma os meus dias em tempo certo. É a essa chama que me lanço para modestamente iluminar e aquecer, como filho de Deus, o quintal que me cabe. Não sei quantas pessoas passaram ou passarão por mim nem sei durante quanto tempo estarei na passagem, mas o que peço a Deus é que eu tenha dignidade suficiente para utilizar os talentos nesse fogaréu sustentado pelas lenhas do amor. Nada de enterros nem de esquecimentos. Multiplicação! Cada irmão meu que passar por aqui haverá de se enxergar nas chamas que me consomem. Apenas isso. Se enxergarem-se, contemplarão os traços do Artista e cuidarão da obra sem desanimar.

Talvez amanhã, padre Fábio, nos encontremos menos, porque a vida nos leva para outros cenários; talvez nos olhemos um pouco mais. Não sei. O vagão de trem para sem avisar. E, nas estações, há vida em busca de vida para saber o momento certo de iniciar. E o momento é esse. É sempre esse em que nos damos a oportunidade de entender. Entendemos que se não negligenciarmos o que somos, seremos.

O exercício de nossa vocação é o exercício de nossa paixão. A paixão de Cristo nos confidenciou outras paixões. Ele nos surpreendeu e nos seduziu. Sei que tem gente que não acredita. Sei que tem gente que acha que tudo é o acaso. Não quero julgar ninguém, apenas caminhar junto. Acredito, padre, em uma Igreja que acolhe, que abraça, que ama.

Nada de cismas. Deixemos isso para o passado. Nada de inquisição. Já superamos esse período. Talvez por isso João Paulo II tenha falado tanto sobre o amor. O amor que o fez enfrentar o nazismo e o comunismo com suas mortandades. Da Polônia para o mundo. De ingênuo, como diziam os seus críticos, se fez pregador do amor, visitante incansável dos recantos admiráveis do mundo em que vivemos. O amor que inspirou Bento XVI em sua primeira encíclica que anunciou a seguinte, a esperança. O amor que o fez sofrer diante de campos de concentração, desculpando-se pela omissão e que o faz sorrir diante dos jovens que se multiplicam em suas pregações, prenunciando um novo tempo.

Não quero me despedir sem antes deixar consignada a esperança que tenho na humanidade. Acho que o caminho é longo para o encontro da harmonia entre os diferentes, para a vitória da paz, como fruto da justiça. Acho que as montanhas escarpadas não nos darão trégua. Mas lá no alto reside uma flor. Uma flor bela, desconhecida de muitos por falta de tempo ou de atenção. Uma flor eternamente jovem porque exala um perfume generoso que empresta sabor aos alpinistas. É assim no reino imaginário das flores raras. Quanto mais se enfeita e se perfuma, mais se eterniza. Essa viagem, amigo, é longa. É a viagem que parte da razão que aprendemos para a emoção que às vezes não entendemos. É a viagem que parte da matéria, que parte para o espírito que reparte. É o repartir que o Mestre nos ensinou antes da partida. É de pão que precisam os famintos de esperança. De um pão novo, de uma nova aliança.

Sonhadores já passaram por aqui e já atravessaram a rua em busca dos sentimentos. Já foram e já ficaram. Já renderam homenagens à natureza humana tão sofrida e feliz; tão paradoxal. Alguns que estão por aqui agridem, porque não atravessaram a rua e outros cuidam; alguns pisam, outros ajudam; alguns odeiam, outros amam. É uma questão de escolha, amigo. E depois da escolha, a perseverança no que é correto.

Obrigado por ler as minhas divagações e por emprestar seu tempo às inquietações que me acompanham.

Obrigado por se fazer presente na solidão dessas letras que vão surgindo e significando os meus sentidos, a minha razão. Sozinho, em meu esconderijo, convido-o e convido aos outros para entrarem em meu quintal. Há alguma sujeira que, de quando em vez, limpo. Quando não limpo é porque não percebo ou percebo e tenho preguiça. Mas quando recebo visitas, minha chama se acende ainda mais. E a felicidade do acolher me dá nova disposição. Trazem-me lenha os que me amam.

Se convido para o meu quintal não é porque a sala da frente seja reservada para outros mais importantes. É apenas porque aqui ficamos mais à vontade, sem cerimônias. Se quiser convidar outros amigos e seus medos, podem vir. Podem vir as esperanças deles também.

Há bastante espaço e há bastante tempo para prosas e poesias... E tem mais, a flor rara da montanha distante resolveu morar por aqui. Ela é linda!

Com carinho,

Gabriel

última carta

*"Grandes medos
só podem ser vencidos
mediante o cultivo de
pequenas coragens."*

Meu querido Gabriel

Os navios também naufragam por aqui. Naufrágios sem mar, mas em esquinas, vielas, em avenidas de concreto. Vejo os sobreviventes. Eles estão por todos os lados. A continuidade da vida não é possível sem a dura sequela da morte. A pedra posta sacramenta no tempo nosso destino de partir aos poucos. Morrer faz parte do estatuto humano. A finitude é condição irrenunciável.

Meu amigo, a morte é origem de muitos medos. Ela representa a ruptura com o mundo que conhecemos. Talvez seja por isso que a morte tenha tanto impacto sobre nós. Ao experimentar a morte do outro, de alguma forma antecipo em minha carne a sina adâmica de morrer também. A ruptura que o outro experimenta tem o poder de nos afetar. É universal o que sentimos. É marca indelével que está registrada em todos nós.

Ao longo destas nossas conversas, pude desvelar coisas interessantes. A troca de palavras é também troca de intuições. Falar dos medos que nos afligem fez-me tocar na orla de meus oceanos revoltos. Nem sempre tenho coragem de adentrá-los. Temo os naufrágios. Prefiro observá-los a distância e notar seu movimento de quebras constantes. Ondas que desafiam pedras.

Recordo-me de um momento crucial da história do povo de Israel, quando Moisés o conduzia à liberdade. Era preciso sair dos territórios egípcios, mas o impedimento para a travessia era real. O mar estava diante de seus pés. Não havia embarcações para que o povo pudesse seguir. A terra prometida, o território das promessas, só poderia ser alcançada se o povo conseguisse vencer o poder das águas. Desesperado, o povo pediu a Moisés que recebesse de Deus uma solução.

Meu amigo, essa passagem é profundamente reveladora. Como pastor e condutor do povo, Moisés pede a Deus um milagre. A resposta de Deus chega até o povo no formato de uma fala imperativa: "Diga ao povo que caminhe!". Veja bem que não há a proposta de uma solução mágica, unilateral. O que há é a devolução da responsabilidade. O milagre requer a participação humana.

Num primeiro momento o povo permanece paralisado. O que Deus pede e solicita parece absurdo. Como é possível caminhar na direção das águas? Como é possível transpor a força do oceano sem os recursos de embarcações? O povo se entregou ao desespero. O lamento foi inevitável. As pessoas gritavam suas indignações. Sentiam saudades das cebolas do Egito, metáfora do pouco que recebiam, prova concreta de que a escravidão nos acostuma à miséria.

Mas a coragem profética de Moisés fomentou a coragem de que o povo necessitava. Sem muita compreensão do que fazia o povo, resolveu colocar os pés nas águas. Andou na direção do medo, desejoso de enfrentá-lo, e quem sabe assim superá-lo. Não se apegou à lógica de que mares são intransponíveis, e o milagre aconteceu. À medida que o povo adentrava as ondas, o mar foi se abrindo. A promessa de libertação se cumpria. Duas dimensões distintas, mas complementares. O desejo do céu se cumpria através de forças humanas.

Meu querido Gabriel, a experiência do êxodo é fundante para o povo de Israel. Essa passagem que relata a travessia do mar Vermelho está diretamente ligada à construção da identidade de um povo. A terra prometida, muito mais que uma conquista geográfica, é a conquista de uma liberdade desejada. Uma terra onde o povo pudesse entoar seus salmos, ritualizar suas crenças, amar seus amores. Uma terra em que o povo pudesse viver sua verdade, seus costumes, suas tradições. Uma terra que pudesse minimizar o pior de todos os seus medos, o pior de todos os flagelos: a falta de identidade.

A terra prometida é a metáfora que engloba a totalidade de um conjunto de felicidades. É o lugar da proteção, do descanso dos pesos do mundo. Conquistar a terra prometida é alcançar o direito de construir sobrados que possam acolher os significados, as histórias, as saudades humanas.

Meu amigo, eu me identifico muito com esse processo de êxodo. Vivemos em intermináveis estágios de deslocamentos. O lugar de onde partimos não nos satisfaz. Nossa alma vive de buscas. Não fomos feitos para os definitivos, e, ainda que possamos pensar em tratados vitalícios, estes só poderão ser cumpridos se experimentados na dinâmica das transformações. O amor só pode ser eterno se for renovado no cotidiano da vida. O amor de ontem não serve para hoje. O amor de hoje não servirá para ser vivido amanhã.

As transições que fazemos nos aliviam dos medos que sentimos. Aliviam, mas não nos livram deles. Não erradicam a raiz. Mas há um jeito de superá-los. Fazemos o que podemos. Colocamos os pés no mar, mesmo que não tenhamos certeza do milagre.

Gabriel, as pessoas mais interessantes que encontrei na vida assumiram o êxodo como proposta de vida. Os projetos sonhados, as lutas estabelecidas, a dinâmica dos acontecimentos, tudo interpretado à luz de um milagre que pede empenho e coragem. Responderam ao imperativo da vida, à voz que misteriosamente encontra o destino de nossos ouvidos e nos ordena a viver.

Os imperativos nos chegam em uma diversidade verbal incrível, surpreendente. Todos parecem comprometidos com o instinto de preservação que trazemos dentro de nós. Acolhê-los é uma forma que temos de acender as luzes das possibilidades. A vida grita: "Viva!". E eu obedeço. Corro atrás de tudo o que está vivo, vibrante. Só assim venço a pequena parcela de mundo que está mergulhada na escuridão, ausente de luminosidade. A parcela que começa em mim.

Grandes medos só podem ser vencidos mediante o cultivo de pequenas coragens. Essa foi a experiência do povo de Israel. Essa é a experiência de todas as pessoas que fazem a diferença no mundo. Nelas a contradição ganha sentido. Olho a fotografia de Teresa de Calcutá e compreendo essa verdade. Nas marcas daquele rosto há estradas de sabedoria que pretendo percorrer. A aparente fragilidade resguarda uma grandeza surpreendente. A mulher aparentemente frágil é território humano onde podemos compreender e contemplar a reconciliação dos contrários. Teresa é o lugar onde se abraçam força e fragilidade. Eu me pergunto: quem a ensinou a ser assim? Quem a ajudou a conviver com os medos que sentia? Como foi a descoberta do caminho da solidariedade como forma de superar os próprios medos? Quem a encorajou a atravessar o mar que lhe devolveria a liberdade? Qual é a razão de suas esperanças?

Essas perguntas não podem ser respondidas, meu amigo. Elas pertencem ao mistério místico que não pode ser apreendido pela razão. O amor quebra todas as regras que nossa inteligência postula. Só quem ama é capaz de reconciliar fragilidade e força. Só quem ama é capaz de descobrir a força que há na fragilidade e a fragilidade que há na força. Estamos no contexto da terceira margem, como tão bem intuiu nosso escritor Guimarães Rosa em seu precioso conto "A terceira margem do rio".

O conto é místico. Onde fica a terceira margem? Ninguém nunca soube dizer. A expressão não entra no texto. Ela só aparece no título. O homem adentrou sua canoa e resolveu partir. Não deixou razões, não esclareceu motivos. Apenas partiu. Rumou seus destinos de homem na esperança de uma terceira margem. Quis buscar o que na vida não se encontra. A terceira margem parece nos sugerir o lugar que não há, o lugar do desejo, da esperança, da conquista. Mas esse lugar, que não é material, parece ser a casa das esperanças humanas. É lá que nossos medos serão consolados.

Querido Gabriel, como é interessante contemplar a capacidade humana de construir a terceira margem. Como é bonito compreender o resgate que a linguagem simbólica pode realizar na vida humana, sobretudo no momento em que o caos parece prevalecer. A simbologia nos socorre quando o peso da realidade insiste em nos massacrar.

Recordo-me do belo poema de Manuel Bandeira e sua tão conhecida expressão poética "Vou-me embora pra Pasárgada!". Nos versos do poema, uma infinidade de sonhos desfila e é revelada. Todos os desejos do poeta são colocados na estrada que o levaria ao lugar projetado que ele chamou de Pasárgada. Mas onde se localiza esse lugar? Qual é o caminho a ser tomado? Nenhum. Pasárgada é o lugar que não pode ser localizado. É nele que o poeta sonha encontrar o descanso de seus medos.

O povo de Israel marchou na direção da terra prometida. O homem do rio remou na direção da terceira margem. Manuel Bandeira quis ir embora pra Pasárgada. Teresa de Calcutá, por meio de sua caridade e de seu amor aos pobres, antecipou na Terra a instalação do Reino dos Céus.

Meu querido Gabriel, as esperanças que nutrimos nos socorrem dos medos que sentimos. Cada ser humano, ao seu modo, espera ou desiste. Se espera, ele se torna capaz de fazer revolução. Se desiste, ele apressa ainda mais o crescimento e a prevalência dos medos sobre o nosso tempo.

Meu amigo, preciso lhe confessar que a grandeza espiritual de Teresa me envergonha. Ela me aponta para um caminho que ainda não sei percorrer. Ela me coloca na beira de um mar que me assusta, porque eu o desconheço. O mesmo acontece quando estou diante dos versos misteriosos de Drummond ou diante da harmonia tão elaborada de uma sinfonia de Mozart. O mistério das coisas é um caminho que nem sempre nossos pés desejam enfrentar.

Mas há sempre um jeito positivo de reagir diante de tudo o que nos amedronta. Basta que a gente se empenhe na descoberta do fascínio que está no medo resguardado. Há sempre um bem a ser extraído. O medo do mar só pode ser superado quando nós o posicionamos ao lado do fascínio que há na liberdade. Somente no momento em que colocar meus olhos na liberdade que está na outra margem é que eu me encorajarei a depositar os pés na água.

É assim que sigo, meu caro amigo. Os medos me encaminham, mas não quero permitir que prevaleçam. O medo que tenho de ser só não pode me amordaçar, a ponto de me gerar em constante construção de estados de solidão. Quero administrar o medo. Ao temer o isolamento, quero que minha alma se encaminhe para a busca de complementos. Teresa nos ensinou isso. A castidade não a aprisionava, mas a colocava como parceira constante e irrenunciável da fraternidade. É certo que seu coração amargou a dor de não ter um ombro para chorar suas lutas. Mas é também certo que a dor não a enclausurou. Ela pisou o mar, quis a terra prometida.

Gabriel, é bom saber que a montanha resguarda a beleza da flor rara. Essa certeza tem de ser suficientemente forte para nos fazer enfrentar os desafios da montanha. A flor existe. A coragem nos faz buscá-la. O mesmo acontece no garimpo. O homem rasga a dureza do chão em busca da pedra preciosa. As mãos se ferem na busca. A dor só é suportável porque há a esperança do encontro. A pedra existe, assim como a flor.

Para chegar à pedra rara, o garimpeiro terá seus dedos feridos pelas pedras comuns. Mas ele conhece os sofrimentos de seu ofício. Ele não se prende ao medo dos ferimentos, mas investe constantemente em movimentos de procura. Mete a unha no chão, peneira os excessos, remexe a lama, até que os olhos encontrem o brilho opaco da diferença. Com a descoberta, o sorriso nasce, restaura e faz esquecer a dor que marcou o tempo da procura.

A pedra encontrada é recompensa, mas é também impulso para nova busca, para nova coragem, assim como a ferida curada na perna do indigente renovava em Teresa o desejo de continuar curando os sofrimentos do mundo.

O amor sobrevive dessas buscas. Intervalos que funcionam como pausas nas canções. O intervalo faz parte da partitura. É nele que a orquestra descansa. É nele que a continuidade é preparada. O tempo do cultivo é que qualifica a realização. Por isso é tão importante colocar os olhos no que esperamos. A esperança da terra prometida é que nos encoraja para o desafio das travessias. Nossos medos só serão suportáveis se os revestirmos de esperanças. A esperança precisa ser o invólucro da vida. É a partir dela que encontraremos o sentido que desfaz o absurdo.

Ortega y Gasset, o grande filósofo espanhol, compreendeu o "ser" diretamente interligado ao contexto de suas circunstâncias.

Ele dizia: "Eu sou eu e minhas circunstâncias". A subjetividade humana depende das realidades que a envolvem. Não podemos admitir que nas circunstâncias do mundo prevaleça a força corrosiva e paralisante do medo. O movimento de mudança começa em nós. Acreditamos nisso. Ao transformar a realidade que me envolve, de alguma forma estou transformando o que sou. Os que estão ao meu lado também são afetados pela minha transformação. É assim que vamos prosseguindo, acreditando que os primeiros a serem transformados somos nós mesmos.

Meu querido amigo, obrigado por este tempo de cartas. Ele foi circunstância feliz que acolho como transformadora. Não sou mais o mesmo. Estou mudado. O que mudou? Ainda não sei. Vou seguir descobrindo aos poucos, assim como o garimpeiro encontra e descobre a sua pedra.

Vou ficando por aqui. Recordo-me do sobrado de Cora Coralina, assunto que marcou a primeira de nossas cartas. Retomo a sensibilidade da descrição com que a autora falou das paredes e suas representações simbólicas...

No sobrado em ruínas existe um pouco de todos nós. A poesia de Cora Coralina restaura o significado do sobrado. As paredes destruídas são resgatadas pela força das palavras. Ela encontra um recurso para sobreviver em meio à destruição. A palavra resgata a vida do caos, porque reordena o sentido das coisas. É bonito descobrir a linguagem poética como socorro que nos retira o peso da realidade. Não se trata de alienação, mas de redenção.

Meu amigo, ouso dizer que nas destruições de minhas estruturas sua palavra se prestou a ser instrumento redentor. Ao falar sobre os medos que nos afligem, de alguma forma pude reconstruir minha coragem.

Não posso destruir os mares dos meus medos, mas tenho acreditado que posso atravessá-los. Ainda continuo inapto para impedir os naufrágios, mas tenho buscado não negligenciar a oportunidade de oferecer abraço consolador aos que estão solitários no cais.

Meu amigo, obrigado pela sua amizade. Ela me devolve as esperanças perdidas. Ela me empresta palavras benditas. Ela me faz buscar a flor rara, a pedra preciosa, o verso redentor. Ela me restitui a coragem de colocar minha embarcação nos misteriosos destinos da terceira margem.

Sigamos juntos na edificação dessas esperanças. Queiramos sempre a terceira margem, queiramos sempre Pasárgada, a terra prometida, queiramos o Reino dos Céus...

A vida será mais viva se não desistirmos dessas simbologias.

É isso. Somente isso. O resto é palavra que ainda não sei dizer. É verso que ainda não sei escrever. É medo que ainda não sei confessar.

Com meu carinho e
desejo de continuidades...

Pe. Fábio